LES FONDAMENTAUX

LA BIBLIOTHÈQUE DE BASE DE L'ÉTUDIANT
EN DROIT, POLITIQUE, ÉCONOMIE, GESTION
— 1er cycle —

L'ÉCONOMIE MONDIALE

1. De la révolution industrielle à 1945

Yves Crozet

Professeur agrégé de sciences économiques, Doyen de la Faculté
de sciences économiques et de gestion (Université Lumière Lyon 2)

Christian Le Bas

Professeur agrégé de sciences économiques à la Faculté
de sciences économiques et de gestion (Université Lumière Lyon 2)

D1260234

HACHETTE

LES FONDAMENTAUX
LA BIBLIOTHÈQUE DE BASE DE L'ÉTUDIANT
EN DROIT, POLITIQUE, ÉCONOMIE, GESTION
— 1er cycle —

Collection créée et animée par
Caroline Benoist-Lucy

Dans la même collection :

ISBN 2-01-016528-4

© HACHETTE Livre, Paris, 1993.

Table des matières

DEUXIÈME PARTIE
L'affirmation de la civilisation industrielle

TROISIÈME PARTIE

La guerre et les crises
de la première moitié du xxe siècle

Introduction

L'histoire économique n'est pas comme on le croit parfois une discipline qui requiert surtout une bonne mémoire. Tout au moins, cette dernière ne doit pas seulement servir à collectionner des événements. Si l'on retient plus particulièrement un fait ou une date, c'est parce qu'ils s'inscrivent dans un mouvement d'ensemble reconstruit à partir d'une perspective économique. En d'autres termes, la méthode propre à l'analyse économique est l'outil privilégié que nous allons utiliser dans cet ouvrage. Le lecteur y est invité à enrichir ses connaissances, non pas en procédant à un inventaire mais en se dotant d'une grille de lecture constituant une clé pour la compréhension des faits économiques. Il s'agit donc de proposer à la fois une méthode de travail et une problématique.

Problématique

Avec la première révolution industrielle, le monde est entré dans un processus particulier : celui de la croissance économique. Ce sont les mécanismes et les implications de cette dernière qui vont servir de fil conducteur à cet ouvrage. Amorcé en Europe, et notamment en Grande-Bretagne, ce processus s'est progressivement étendu à l'ensemble du globe. Il s'agit donc d'un phénomène universel qui mérite une analyse d'ensemble. C'est pourquoi nous commencerons par rappeler les principales grilles de lecture de la croissance économique. Mais universalité ne signifie pas identité. Le caractère forcément réducteur de l'analyse doit donc progressivement laisser place à la démarche proprement historique, seule capable de restituer les spécificités spatiales et temporelles.

Méthode

C'est pourquoi, dans chacun des huit chapitres qui composent cet ouvrage, nous prendrons soin de donner à la fois des outils d'analyse et des repères historiques. Nous insisterons sur le fait que le développement du capitalisme au cours du XIXe siècle comme celui du socialisme au début du XXe, ont été fortement infléchis par les traditions nationales. L'Allemagne et la Grande-Bretagne, par exemple, n'ont pas la même conception du commerce international. La France, quant à elle, a développé à l'égard de l'agriculture un comportement original. Pour mettre en valeur ce double caractère de la croissance économique, à la fois universel et spécifique, nous suivrons une progression logique : d'abord rappeler les transformations lourdes, puis montrer la diversité des réactions nationales face à ces évolutions, enfin réfléchir sur le fonctionnement socio-économique des nations.

Chronologie

Pour conserver à notre regard une certaine acuité, nous avons découpé en trois périodes le siècle et demi qui va de la première révolution industrielle à la fin de la Seconde Guerre mondiale :

— la première révolution industrielle et l'émergence des grandes puissances dans la première moitié du XIXe siècle (première partie) ;

— l'affirmation de la civilisation industrielle dans la seconde moitié du XIXe et jusqu'à 1914, date qui marque une cassure dans l'histoire économique (deuxième partie) ;

— les guerres et les crises de la première moitié du XXe siècle, qui se présentent comme une série de conséquences du Premier Conflit mondial.

PREMIÈRE PARTIE

La première
révolution industrielle

────

La révolution industrielle constitue un gigantesque bouleversement technique et économique, aboutissant, à travers l'émergence du capitalisme industriel, à l'affirmation d'une civilisation nouvelle. Amorcée en Grande-Bretagne dans la seconde moitié du XVIIIe siècle, elle se répand progressivement dans quelques pays au début du XIXe. C'est ce double mouvement qui retiendra notre attention car s'il s'étend sur une période d'au moins un siècle, et il constitue, à l'échelle de l'histoire, une période de transformations nombreuses : une révolution. Nous commencerons donc par présenter les traits généraux de cette rupture dans l'histoire des pays européens. Elle apparaît d'abord (chapitre 1) comme un formidable processus où se combinent les mutations interactives du système technique, des comportements démographiques, de l'agriculture. C'est, selon la formule de Fernand Braudel, l'épanouissement de la « civilisation matérielle ».

Mais le choc de civilisation n'affecte pas les pays en même temps (« avance » des uns, « retard » des autres), il n'a pas la même force partout. Prenant ici la forme d'une révolution et là celle d'une évolution, il conduit à des systèmes productifs divers (chapitre 2). Les civilisations sont des économies, mais aussi des sociétés occupant sous la forme de la nation un espace au sein duquel les relations sociales sont organisées de façon spécifique. Ces dernières sont aussi touchées par la rupture qu'opère la révolution industrielle (chapitre 3).

– 1 –

La révolution industrielle : des mutations techniques, agricoles et démographiques interactives

Il est bien sûr difficile de définir en quelques mots la première révolution industrielle. Il s'agit sans aucun doute d'une coupure dans l'histoire économique et sociale de l'Europe, aussi parle-t-on communément de « la » révolution industrielle : mutation technique, décollage économique, émergence d'un secteur industriel moteur, modification des rapports sociaux dominants avec la montée du capitalisme, progrès agricoles, urbanisation plus ou moins sauvage, affirmation de la classe des entrepreneurs individuels... Il s'agit donc d'une coupure, commencée plus tôt en Grande-Bretagne, au milieu du XVIIIe siècle, et plus tardive sur le continent.

Un rapide examen des modèles historiques nous fera retenir le schéma de P. Bairoch qui suggère que si la révolution industrielle est un processus connectant des mutations techniques, des inflexions démographiques et une « révolution » agricole, cette dernière a joué un rôle clé. Après avoir présenté une grille de lecture générale du développement économique, on étudiera successivement chacune des mutations.

I - COMMENT PENSER LA RÉVOLUTION INDUSTRIELLE ?

La révolution industrielle passionne depuis longtemps les historiens et les économistes. Ils ne sont pas toutefois unanimes quant au schéma à retenir pour rendre compte des mécanismes socio-économiques qui ont permis l'avènement de la civilisation industrielle moderne. En réfléchissant à ce que furent les premières étapes de la révolution industrielle, on est conduit à chercher les éléments les plus significatifs, c'est-à-dire à proposer un modèle.

A/ Une modélisation de la croissance économique

Le concept de modèle ne renvoie ici ni à son sens courant (modèle à suivre), ni à son sens économétrique (ensemble de relations formalisées), mais tout simplement à l'idée que l'analyse d'un phénomène exige une représentation simplifiée de la réalité. Dans cette perspective, la diversité des modèles et les discussions qu'ils engendrent font partie intégrante de la réflexion historique.

◆ Le modèle de Walt Rostow

Le modèle de W. W. Rostow des *Étapes de la croissance économique* (traduction française : éditions du Seuil, 1963) offre une première vue – encore que contestée – des articulations essentielles. L'auteur défend l'idée que le développement économique des nations connaît 5 étapes :

1°) la société traditionnelle ;

2°) l'économie accumulant les conditions préalables au décollage, caractérisée par la possibilité et l'utilité du progrès économique, l'apparition de l'esprit d'entreprise, la constitution de l'épargne, la structuration du crédit... ;

3°) la période du décollage *(take-off)* : l'économie connait une « brutale » transformation économique. La croissance industrielle est permise par l'accroissement du taux d'investissement (un doublement, précise Rostow) et l'apparition d'industries motrices porteuses du nouveau cours du développement. Il s'agit de deux indicateurs clefs, autorisant des repérages historiques ;

4°) la marche vers la maturité : la croissance devient plus régulière, les mécanismes de développement se généralisent ;

5°) la société de consommation constitue la phase ultime du processus de croissance.

◆ Une tentative discutée de périodisation

W. W. Rostow propose de périodiser la croissance des économies industrielles de la façon suivante :

— la Grande-Bretagne aurait connu son *take-off* vers 1750, et le début de la maturité vers 1850 ;

    — le *take-off* français daterait de 1830, la maturité n'arrivant qu'en 1910 ;

    — les États-Unis auraient réalisé leur démarrage après 1840 ;

— pour l'Allemagne, Rostow propose la période 1850-1873 comme celle correspondant au *take-off* ;

    — pour le Japon, la période 1878-1900 ;

    — pour la Russie, 1890-1914.

Ces repérages historiques ont été mis en doute par Simon Kuznets, pour qui « la distinction entre les étapes préalables et les étapes de décollage n'est pas claire (...) on peut, à première vue, s'attendre à ce que les étapes préalables et les étapes de décollage empiètent les unes sur les autres », et par Jean Marczewski qui affirme que, en ce qui concerne l'économie française, la croissance s'est effectuée graduellement, de façon continue malgré des phases d'accélération.

Par ailleurs, la révolution industrielle n'a pas seulement été interprétée comme une étape de la croissance. K. Marx y voyait la croissance de l'*industrie moderne*, dépassant le stade de la manufacture, permettant au *capitalisme de la fabrique* d'exploiter le prolétariat et de développer les forces productives. Plus tard, les grands historiens A. Toynbee, T. S. Ashton stimuleront de nouvelles recherches sur l'exemple anglais. Plus récemment, Alex Gerschenkron a fourni une analyse très fine des retards pris par les différentes économies sur le chemin du développement industriel : plus le retard est important, plus le décollage initial est fort et bref (cette première vague d'industrialisation affectant alors prioritairement les biens de production).

◆ Le modèle de P. Bairoch

Paul Bairoch a naguère proposé une étude très documentée du phénomène d'industrialisation. Son schéma s'éloigne toutefois du modèle de Rostow. Il juge que le progrès technique, la progression démographique ou l'investissement (l'accumulation du capital), souvent considérés isolément comme le facteur unique d'amorce de la révolution industrielle, ne sont en fait, bien qu'importants, que des facteurs déterminés. Le facteur déterminant apparaît être une productivité agricole en fort accroissement (la révolution agricole). P. Bairoch prend soin par ailleurs de noter que cette révolution industrielle n'est pas portée par le capitalisme commercial. Il rejoint le jugement de F. Braudel pour qui la révolution du coton, qui a surgi du sol, de la vie ordinaire, n'a pas pour origine le capitalisme marchand ou financier dominant aux XVI⁽ᵉ⁾ et XVII⁽ᵉ⁾ siècles : « Ce n'est pas Londres et son capitalisme marchand et financier qui ont provoqué l'étonnante mutation. Londres ne prendra le contrôle de l'industrie qu'au-delà des années 1830 (...) c'est la force, la vie de l'économie de marché et même de l'économie à la base. » Au total, dans le schéma de Bairoch, au sein du processus complexe du décollage, des interactions fortes vont jouer comme effets d'entraînement, d'impulsion, de diffusion, entre progrès agricoles et démographie, entre agriculture et industrie, entre industrie et technique.

Intéressons-nous plus particulièrement au cas de l'agriculture.

B/ Le rôle clé de la révolution agricole

La révolution agricole, selon le terme employé par le grand historien de l'histoire rurale que fut Marc Bloch, désigne un ensemble de transformations du secteur agricole ouvrant la voie aux progrès industriels, commencés très tôt en Angleterre (vers 1700) et plus tardivement ailleurs.

◆ Une révolution agricole déterminante...

P. Bairoch a développé une thèse selon laquelle les progrès de l'agriculture ont constitué le facteur déterminant de l'amorce de la révolution industrielle. L'accroissement de la productivité du travail agricole a apporté « une modification suffisamment profonde des conditions générales économiques existantes pour déclencher un certain nombre de mécanismes (économiques et sociaux) conduisant à l'amorce d'un processus généralement cumulatif de la croissance économique ». Bien évidemment, le concept de facteur déterminant n'est pas identique à celui de cause unique.

Les progrès de l'agriculture ont largement précédé les progrès de l'industrie en Angleterre comme en France, encore que les deux pays aient négocié, compte tenu de leur histoire et de leur structure, très différemment ce virage. Les signes d'une modification substantielle des performances de l'agriculture en Angleterre tiennent dans la croissance des rendements de blé, le progrès des techniques, le bouleversement apporté par le profond mouvement des « *enclosures* ». Un indice de cette performance nouvelle réside dans les excédents du commerce extérieur de céréales. Tous ces signes apparaissent dès 1650. Il n'est pas besoin de souligner que ces transformations vont se répercuter dans une demande accrue de fer (outils agricoles, fil de fer...) et stimuler les progrès d'une industrie sidérurgique moderne. En France, les progrès furent sans doute plus lents (moins brutaux) et beaucoup plus tardifs. On date de 1750 (seulement) les premiers progrès des rendements céréaliers (soit un siècle après l'amorce de la révolution agricole anglaise). Ainsi, P. Bairoch propose l'éclairage quantitatif suivant : il estime à 1,4 % le taux de variation annuel moyen du produit agricole de 1751-1760 à 1771-1780, qui n'était que de 0,3 % dans la première moitié du XVIIIe siècle. La France n'a pas connu l'équivalent du mouvement des *enclosures*, la structure des exploitations est apparue assez peu favorable aux méthodes de production nouvelles ainsi qu'aux techniques modernes. Les quelques faibles progrès toutefois accomplis dans l'agriculture se situent bien avant la progression du secteur industriel, puisqu'on pense qu'il n'y a pas eu expansion industrielle significative avant la Monarchie de Juillet. La séquence retenue par P. Mantoux selon laquelle la modernisation agricole est antérieure à l'apparition de la grande industrie reste pertinente pour d'autres nations européennes : l'Allemagne, la Belgique (qui a très tôt imité le cas anglais).

◆ Les effets d'entraînement

On résumera ici les principaux effets de la révolution agricole, encore faudrait-il noter que les liaisons causales sont également interactives et qu'elles ont contribué au décollage (Rostow) ou au « processus d'amorce du développement économique » (Bairoch). Les progrès de l'agriculture vont induire les transformations suivantes :

— une *première révolution démographique* (voir ci-dessous), les famines consécutives aux mauvaises récoltes étant maintenant révolues. L'agriculture atteint des rendements suffisants pour nourrir la population, même en période de faibles récoltes. Si cet effet est décisif, il ne se manifestera que lentement ;

— la croissance du produit fait entrer la structure de consommation dans la *troisième étape du modèle de consommation* construit par J. Fourastié : les dépenses alimentaires occupent une place dominante dans la consommation, elles deviennent plus variées. Toutefois, elles régressent relativement et laissent une place pour l'amélioration de l'habitat et de l'habillement (dernière condition favorable au développement des industries textiles, et en particulier du coton, qui va jouer un rôle déterminant dans la croissance industrielle) ;

— la productivité agricole a un impact plus large, elle favorise la *réduction de l'emploi agricole* et autorise une augmentation de la proportion de la population active utilisée dans le secteur industriel ;

— l'agriculture va offrir de plus en plus de *débouchés à la sidérurgie*. Ainsi que P. Bairoch a pu le démontrer, l'ensemble de la demande de fer émanant directement des activités agricoles au moment où celles-ci sortaient de leur structure traditionnelle paraît suffire à expliquer la quasi-totalité de l'accroissement de la consommation de fer.

◆ Les spécificités anglaises et françaises

● *La révolution agricole en Grande-Bretagne*

En Grande-Bretagne, les transformations agricoles ont pris la forme d'une révolution, au sens propre du terme, c'est-à-dire une brutale transformation. Les *enclosures* en témoignent. Phénomène ancien qui s'est accéléré au XVIIIe siècle, elles ont donné lieu à de violents conflits sociaux. Le procédé consiste pour les grands propriétaires à *clore leurs parcelles* pour interdire la vaine pâture. C'est une reconnaissance du droit de propriété qui a largement contribué à l'accroissement des rendements. En France, les mutations ont été plus lentes et la diffusion de la propriété s'est faite à l'occasion de la vente des biens nationaux pendant la Révolution.

— Le premier indicateur de l'évolution des progrès dans l'agriculture en Angleterre se situe dans la *nouvelle dynamique des rendements* (cf. tableau page suivante).

De 1650 à 1750, les rendements ont augmenté dans une proportion plus forte que durant les quatre siècles antérieurs.

— Second indicateur : la *croissance de la productivité des actifs dans l'agriculture*. Cette productivité aurait doublé de 1700 à 1800, selon les estimations de Bairoch. Quels éléments rendent compte d'un mouvement plus précoce et plus complet qu'ailleurs ? J.-P. Rioux a avancé que dès le XVIIe siècle, une poignée de grands propriétaires nobles et d'agronomes avaient lancé cette dynamique. Ce mouvement « consistait dans la culture de

Rendements de blé en Angleterre (*bushels* par acre *)

	Rendements	Accroissement décennal moyen (%)
1200	8	
1450	8,5	+ 0,2
1650	11	+ 1,3
1750	15	+ 3,1
1800	20	+ 5,9
1850	26	+ 5,4

* 1 *bushel* (boisseau en français) représentant approximativement 36 litres, et 1 acre, approximativement 0,4 hectare, on peut multiplier par 2,5 les rendements indiqués dans le tableau pour avoir une idée des rendements à l'hectare, unité plus communément employée aujourd'hui.

plantes fourragères, intégrées dans des assolements nouveaux qui excluaient l'ancienne jachère au cours de laquelle le sol, au repos, restait improductif ; l'emploi de techniques nouvelles ; la pratique des *enclosures*, terroirs remembrés par le propriétaire individualiste et libéré des vieilles pratiques communautaires ». Il ne faut donc pas sous-estimer les nouvelles méthodes culturales : sélection des grains, invention du semoir mécanique, aération de la terre par des labours légers, irrigation, sélection du bétail. Il s'agit de modifications qualitatives (entraînant une intensification) qui s'ajoutent à l'extensification (accroissement de la surface utilisée) : défrichement, drainage...

Même s'il ne s'agit que d'innovations issues d'une première génération de grands propriétaires particulièrement ingénieux, vers 1750 leur diffusion est entreprise.

— **Les structures agraires vont être spectaculairement modifiées.** La grande majorité de ces progrès culturaux implique une modification du régime agraire longtemps assis sur l'openfield (et ses servitudes collectives) pour le régime de l'« individualisme agraire » (Marc Bloch). La pratique des *enclosures*, commencée très tôt, décrit cette mutation. Elle s'intensifie dans la période 1760-1780. On évalue à 5 000 le nombre des actes d'*enclosures* du Parlement de 1730 à 1820. Les conséquences économiques et sociales ont été maintes fois décrites : les occupants des terres communales (*squatters* et *cottagers*) vont être exclus du nouveau partage, deviennent salariés agricoles ou disparaissent des campagnes pour travailler dans les bourgs manufacturiers. La structure sociale se complique car les petits propriétaires (*yeomen*) sont aussi obligés de partir ou s'établissent comme fermiers de grands propriétaires. Ainsi, « [avec] vigueur se dégage en Angleterre un secteur capitaliste de l'agriculture qui pourrait permettre, à la longue, d'améliorer production et productivité, de nourrir une progression urbaine en croissance, de créer un marché de campagne plus cohérent et enfin d'exporter des surplus ... » (J.-P. Rioux).

● *La persistance de l'individualisme agraire en France*
Le cas français est quelque peu différent. La structure du régime agraire au xviiiᵉ siècle se caractérise par l'importance de la propriété paysanne (l'« individualisme agraire » de Marc Bloch) d'où découle le morcellement des terres, sans doute excessif et qui fit obstacle à la diffusion de techniques nouvelles. C'est donc très progressivement que les nouvelles méthodes pénètrent en France dans la seconde moitié du xiiiⁱᵉ siècle. La Révolution française n'a pas modifié les structures dans les campagnes. Elle les aurait solidifiées puisque la vente des biens nationaux va fortifier la petite propriété (M. Bloch). L. Bergeron a pu noter que l'on ne perçoit pas dans les campagnes une polarisation caractéristique du capitalisme agraire entre une couche de « paysans-propriétaires » aisés d'un côté et une masse de paysans-salariés ou paupérisés de l'autre. La paysannerie parcellaire ne dispose que d'une « surface utile » très insuffisante et désire maintenir les contraintes collectives (même si l'individualisme reste prépondérant). Quant aux tech-

Évolution des rendements (quintaux à l'hectare)

	Blé	Pommes de terre
1701-1710	6	
1751-1760	7,5	
1771-1780	7,5	
1781-1790	9	
1815-1820	7,8	52,1
1821-1830	8,9	60,9
1831-1840	9,4	72,2
1841-1850	10,7	74,6

Productivité (moyenne) du travail agricole

1701-1710	100
1751-1760	111
1771-1780	122
1781-1790	121
1815-1824	121
1835-1844	141

niques et pratiques agricoles, elles évoluent très lentement : l'hersage et la culture des plantes fourragères entraînent le recul de la jachère, la spécialisation des productions reste embryonnaire (élevage de viande en Normandie et dans le Nivernais, betteraves à sucre dans les Flandres). Néanmoins, sur une moyenne période, l'élévation des prix, et donc des revenus, va être un facteur de différenciation entre les « notables » d'un côté et les paysans parcellaires de l'autre. Cela n'a pu générer qu'une lente progression des rendements et de la productivité du travail agricole comme en témoignent les tableaux ci-dessus sur les rendements et la productivité.

Aussi peut-on soutenir qu'en France la « révolution » agricole a plutôt *accompagné* la révolution industrielle (comme en Allemagne) mais ne l'a pas précédée (comme en Angleterre).

II - RÉVOLUTION INDUSTRIELLE ET MUTATION TECHNIQUE

Depuis le grand historien Paul Mantoux, on a coutume de retenir que la révolution industrielle est issue de l'ensemble des inventions qui ont transformé les industries du textile et du fer et donné naissance à la machine à vapeur.

Ces techniques nouvelles débouchent sur une forme de production nouvelle, la fabrique, plus performante que les systèmes de production antérieurs, notamment les manufactures (où l'essentiel du travail est réalisé par la main de l'ouvrier).

A/ Les grandes inventions de la révolution industrielle

◆ Les « innovations en grappe » de l'industrie textile

Dans le domaine du textile, une série d'inventions complémentaires a suscité des progrès très considérables. La navette volante de John Kay (1735) a permis de tisser des étoffes larges et avec moins d'ouvriers, la demande accrue de fils imposa des progrès de la filature, la *spinning jenny* de Margreaves (1765) mécanisant partiellement le travail tandis que le *water frame* de Arkwright (1767) donnait un fil plus fort. Vers la fin du siècle, les perfectionnements des machines à tisser de Cartwright (inventées en 1785) permirent l'utilisation des machines à vapeur et donc la mécanisation des opérations. Construites pour l'industrie du coton, toutes ces machines furent ensuite adaptées pour les activités industrielles fondées sur des matières premières anciennes : la laine, la soie. Ainsi que le remarque le grand historien des techniques Bertrand Gille, les diverses techniques parvenues à un certain équilibre s'aident mutuellement : on peut construire des métiers beaucoup plus grands parce qu'on utilise le métal et qu'on peut les actionner avec des machines à vapeur.

◆ Sidérurgie, métallurgie et mécanique

Dans le domaine des industries transformatrices de la matière, c'est la sidérurgie qui va connaître l'évolution la plus importante et ouvrir la voie à une civilisation industrielle nouvelle. L'ancienne sidérurgie reposait sur trois éléments : le minerai, le bois pour combustible et l'eau pour force motrice. La nouvelle sidérurgie trouve son équilibre dans l'usage du charbon de terre, dont le rendement calorifique est plus élevé. Son utilisation est permise par la levée d'une difficulté technique, le charbon étant en soi impropre à un usage sidérurgique à cause du soufre qu'il contient et qui rend le fer cassant. La combustion du charbon en vase clos va donner le coke, matériau tout à fait acceptable. S'il faut en croire les historiens de cette période, c'est Abraham Darby, un fabricant de malt et de cuivre, qui a en 1709 employé le premier du coke dans des hauts fourneaux à fonte. Le procédé sera entièrement au point sur une échelle industrielle en 1735-1740. Une fois cela acquis, d'autres progrès ont pu concourir à accroître la production de fonte : l'agrandissement de la dimension des hauts fourneaux et les améliorations dans les industries minières et les réseaux de transport. Comme il est courant dans le

domaine du progrès technique, l'abondance de la fonte provoqua une poussée d'innovations dans les segments situés en aval de la filière métallurgique, et notamment dans la transformation de la fonte (matériau lourd et
cassant) en fer (matériau plus manufacturable). En 1783, Cort découvrit les
procédés connus sous le nom de *puddlage*, qui améliorèrent ingénieusement
le laminage du fer obtenu. Sans ces inventions et ces améliorations, le fer
n'aurait pu devenir à la fin du XVIIIe siècle un produit assez abondant, d'un
prix abordable. Le fer allait concurrencer puis remplacer le bois comme
matériau dominant d'une nouvelle civilisation industrielle : rails, machines
diverses, machines textiles.

◆ La machine à vapeur

La machine à vapeur résume parfaitement l'essence de la nouvelle mutation
technique, l'avènement du machinisme. Si ce dernier n'est pas né avec la
révolution industrielle – la Renaissance avait connu des développements
importants dans ce domaine – la machine à vapeur va lui conférer une autre
dimension. La fabrication d'un fer de bonne qualité sur une plus grande
échelle permettait déjà la construction de machines en métal plus fiables,
plus solides, d'une durée de vie plus longue ; la machine à vapeur va autori-
ser un autre progrès : le décuplement de l'énergie pour des usages industriels
(les machines à vapeur de l'époque possédaient un foyer alimenté par du
charbon). L'histoire de cette invention remarquable s'est réalisée progressivement et collectivement, comme le produit de la recherche d'inventeurs
successifs. D. Papin réintroduit le piston (1707) dans la machine conçue par
Savery, Newcomen (1712) perfectionne le système avec un imposant balan-
cier, Watt (1765) propose des mécanismes ingénieux et essentiels levant les
principales limitations des machines antérieures. Quelques années plus tard,
sous l'impulsion de Jonathan Hornblower (1781), la machine à vapeur
devait trouver sa structure quasi définitive.

B/ La révolution ferroviaire et le nouveau système technique

Les techniques n'évoluent pas de façon autonome. C'est un des grands
mérites de Bertrand Gille d'avoir souligné l'interdépendance (l'organisation
systémique) sans cesse plus grande des techniques : les progrès dans un

domaine conditionnent les progrès dans les autres domaines. Au système technique classique fondé sur le bois comme matériau et l'eau (ou le vent) comme source d'énergie, se substitue un système technique nouveau reposant sur le charbon comme source d'énergie, le fer (en réalité la fonte) comme matériau dominant et la machine à vapeur. Le changement de combustible a été permis par le fait que, grâce à des machines (en partie composées de fer), on sache mieux exploiter les mines ; du fait de la puissance de la machine à vapeur, la sidérurgie utilise désormais le coke comme combustible, et des machines (métalliques) pour réaliser certaines opérations ; la machine à vapeur (le symbole de ce nouveau système technique) n'aurait pu être perfectionnée ni son rendement industriel amélioré sans le changement de combustible et la maîtrise de la fabrication de l'acier nécessaire à certains de ses mécanismes.

◆ Le modèle ferroviaire

Cette liaison entre les techniques apparaît parfaitement dans le cas de l'industrie ferroviaire. Celle-ci n'aurait jamais vu le jour si la sidérurgie ne s'était pas modernisée, si l'étude des machines à vapeur n'avait pas débouché sur la construction des premières locomotives (en 1814, Stephenson met au point la première locomotive), si l'on ne maîtrisait pas la production du charbon. Là également, les progrès furent lents mais décisifs dès lors que Seguin exploita sa chaudière tubulaire. Si l'on prend la situation française, on constate que le chemin de fer est né dans le triangle déjà industrialisé de Saint-Étienne-Roanne-Lyon. On cherchait dans la région stéphanoise à améliorer les voies de circulation afin d'écouler des quantités croissantes de fer et de charbon. Malgré l'opposition des charretiers (perdant leurs ressources) et des propriétaires terriens (qui ne voulaient pas être expropriés), la première voie ferrée fut construite entre Saint-Étienne et Andrézieux en 1823, afin de relier la ville à la Loire – mais des chevaux tiraient encore les wagons. La deuxième voie fut sans doute Saint-Étienne-Lyon (56 km), achevée en 1832. La troisième ligne relia Andrézieux à Roanne. Les industriels locaux étaient les propriétaires des voies (comme les fameux frères Seguin d'Annonay) et semblaient plus passionnés par l'innovation que par l'exploitation.

Cela changea lorsqu'on comprit l'intérêt économique du procédé. Les premières voies à vocation industrielle s'avéraient d'intérêt régional, étaient financées localement, et complétaient le transport par voies d'eau. L'étape ultérieure fut celle de la constitution d'un réseau et de l'utilisation de la vapeur. L'État octroya des concessions à des sociétés privées (même anglaises comme dans le cas de la ligne Paris-Rouen). Selon Dunham, la durée trop courte des concessions ne permit pas au capital privé de rentabiliser suffisamment les investissements. En 1840, la France possédait 400 km de voies ferrées, l'Angleterre, 2 000 km.

◆ Les origines technologiques de la révolution industrielle

Cette évolution technique (ou cette révolution industrielle) n'implique pas une révolution scientifique, ou une application des découvertes scientifiques à l'industrie. Ainsi, non seulement le moteur à explosion est né sans le secours de la science, mais c'est sans doute lui qui aurait stimulé les recherches dans une discipline que l'on nommera la thermodynamique.

Dans la sidérurgie, la période scientifique débutera vraiment avec l'âge de l'acier (et le procédé Bessemer), dans la seconde moitié du XIXᵉ siècle. Quant aux progrès de l'industrie chimique avant 1850, ils ne sont pas dus à la découverte scientifique des corps. Plus généralement, B. Gille a fait remarquer que des innovations techniques ont pu être réalisées dans un contexte où les vérités « scientifiques » étaient fausses. Fondamentalement, l'esprit de cette mutation technique à l'origine de la révolution industrielle est essentiellement marqué par l'*empirisme*. Cette analyse est amplement corroborée par une étude portant sur l'origine sociale des principaux inventeurs : des artisans, des industriels, des « techniciens », un clergyman... peu de scientifiques.

L. Mumford a fourni une clé de lecture des origines de la révolution industrielle : « Pour comprendre le rôle prédominant joué par la technique dans la civilisation moderne, il faut d'abord explorer en détail la période préliminaire de préparation idéologique et sociale. Non seulement il faut expliquer l'existence de nouveaux instruments mécaniques, mais il faut exposer comment la culture était prête à les utiliser et à en profiter si largement. » On doit ainsi tenir le plus grand compte des catégories de temps et de l'avènement de l'horloge (« la machine clé de l'âge industriel moderne, ce n'est pas la machine à vapeur, c'est l'horloge » qui permet d'isoler le temps mécanique du temps organique) et apprécier la conception nouvelle de l'espace entre le XIVᵉ et le XVIIᵉ siècle : recours à la perspective, développement de la cartographie, intérêt porté à la nature. La philosophie du XVIIᵉ siècle accepte les techniques et définit des méthodes claires d'approche de la technique et de la science. En même temps, on assiste à la naissance d'une pensée rationnelle et à celle de la *méthodologie*. Le goût du fait technique, l'expérimentation, l'ingéniosité, l'art de la fabrication, la nécessité de l'invention, autant d'éléments d'une pensée technicienne de plus en plus riche et puissante. L'*Encyclopédie* témoigne de sa richesse et de sa volonté de s'affirmer en diffusant avec clarté son esprit.

III - LA PREMIÈRE INFLEXION DÉMOGRAPHIQUE

Nous connaissons les faits démographiques de l'époque de la révolution industrielle car les États, pour ce qui est des pays européens, procédaient déjà à cette époque (depuis parfois un siècle) à des recensements de leur population. Ainsi, en 1801, quatre pays, Angleterre, Norvège, Danemark, France, opèrent un dénombrement de leurs habitants. Bien que la fiabilité des opérations reste discutable (les méthodes ont, depuis, gagné en cohérence), l'énorme matériau statistique permet de mettre en évidence une réelle inflexion dans les comportements démographiques : l'augmentation de la population est le symptôme d'une « révolution » démographique.

A/ La croissance de la population

◆ Les données

Évolution de la population (en millions d'habitants)

Angleterre		France	
1570	4,2		
1630	5,6		
1700	5,8	1700	19,7
1730	6,0	1745	15,6
1790	8,2	1770	23,4
1820	12,0	1820	30,2
1850	17,9	1850	35,6

Source : P. BAIROCH, *Commerce extérieur et développement économique de l'Europe au XIXᵉ siècle*, Ecole des Hautes études en Sciences sociales, 1976.

Pays le plus peuplé d'Europe, la France sera progressivement rattrapée par la Grande-Bretagne. Cela provient d'un écart légèrement différent entre natalité et mortalité. Mais le taux global de croissance demeurant faible, ce n'est qu'à la fin du XIXᵉ siècle que les deux pays compteront environ 40 millions d'habitants.

◆ Le nouveau régime démographique

● *Le cas de l'Angleterre*
En Angleterre, à partir de la seconde moitié du XVIIIᵉ siècle, une réelle inflexion intervient dans l'évolution démographique. Avant, la croissance de la population est faible : 0,2 % par an en moyenne de 1570-1600 à 1730-1760, selon P. Bairoch. Encore faut-il souligner qu'il s'agit d'une croissance tendancielle coupée de mouvements courts beaucoup plus erratiques, et même de baisses de population. En revanche, après cette date, la progression de la population est plus rapide et surtout plus constante (de l'ordre de 6 % par an). Ce qui fait que nous ne retrouvons plus ces baisses de population caractéristiques de l'ancien régime démographique. Pour l'Angleterre, de 1780 à 1880, la baisse du taux de natalité et de mortalité est finalement assez faible ; le premier passe de 38 à 34-35 ‰, le second de 29 à 21 ‰. Ce n'est qu'après 1880 que l'on repère une nouvelle baisse significative de ces deux taux, et donc une modification du régime démographique.

● *Le cas français*
S'agissant de la France, on retient généralement la formule de E. Labrousse ; résumant l'évolution démographique française du XIVᵉ au XVIIIᵉ siècle, il estime que la population a oscillé autour de 20 millions de personnes (chiffre considérable pour l'époque). On estime, pour la France également, qu'après 1760 (environ) la croissance de la population devient plus continue et un peu plus forte. On décèle donc pour les deux pays l'existence d'une « révolution démographique » (quelquefois qualifiée de « première révolution démographique ») située au milieu du XVIIIᵉ siècle. Les données françaises attestent également de la diminution parallèle des deux indicateurs démographiques que sont les taux de natalité et de mortalité. Mais cette diminution serait plus forte qu'en Angleterre. Très grossièrement et pour la période 1780-1880, le taux de natalité passe de 40 à 26 ‰, le taux de mortalité de 36 à 23 ‰. On a même pu avancer que la baisse de la fécondité a été, au début, plus nette que celle de la mortalité.

Ces statistiques sur l'évolution de la population permettent d'éclairer les liaisons possibles entre révolution industrielle et révolution démographique. En fait, elles confirment, premièrement, que la révolution industrielle n'a pas été précédée d'une poussée de population, et deuxièmement, que la croissance démographique (forte et continue) se situe après la « révolution agricole ».

B/ La « révolution démographique » : quelle explication ?

Quelle est la cause déterminante de l'accroissement quasi général de la population en Europe au cours d'un siècle, de 1750 à 1850 ?

◆ Les facteurs du changement

On a pu un moment imputer cette croissance aux progrès de la médecine. Il semble bien maintenant que les avancées dans le domaine médical n'ont pu jouer un grand rôle dans la période 1750-1850, à l'inverse de ce qui sera le cas dans la seconde moitié du XIXe siècle (on parlera alors de « seconde révolution démographique »). Le fait que cet accroissement ait pour origine davantage la baisse de la mortalité que la hausse du taux de natalité indique une rupture avec le modèle démographique ancien (pré-industriel ou « d'ancien régime »). Celui-ci a été, il y a quarante ans, bien décrit par les travaux de H. J. Habbakuk. Dans les sociétés rurales, pré-industrielles, le régime démographique se caractérise par des variations brutales des taux de natalité et de mortalité, les variations du second étant beaucoup plus amples. Les variations du taux de natalité sont commandées par des facteurs caractérisés par une certaine inertie (structure par âges de la population, changements dans la fécondité...), alors que le taux de mortalité peut fortement fluctuer sous l'effet des famines, des guerres, des épidémies.

Poussons plus loin l'analyse. D'amples variations du taux de mortalité ne peuvent qu'influencer le taux de natalité ; cependant, contrairement à une vision mécanique des comportements, il peut en résulter une *hausse* du taux de natalité. Concluons : dans le régime démographique pré-industriel, les *facteurs économiques* (et en particulier ceux structurant la vie agricole et le niveau des récoltes) déterminent sans doute puissamment l'évolution du nombre d'habitants (avec les guerres et les épidémies, facteurs plus exogènes) ; c'est ce que l'on déduit des corrélations existant entre le prix élevé du blé (les crises frumentaires) et le taux de mortalité.

◆ Une nouvelle dynamique démographique

Dans les conditions de vie d'une société industrielle, le régime démographique se construit sur des bases différentes. P. Bairoch a justement souligné que l'accroissement des disponibilités agricoles résultant de la progression de la productivité du travail dans ce secteur d'activité a pour résultat une nouvelle dynamique de la reproduction des populations marquée par une baisse sensible du taux de mortalité. Les seuls pays qui ont connu une modification radicale de l'évolution démographique avant le XIXᵉ siècle, l'Angleterre et la France notamment, sont précisément ceux qui ont connu les plus forts changements économiques. A l'opposé, l'exemple de la Suède (et des pays scandinaves), pays pour lequel on dispose de séries démographiques plus longues et plus précises, montre que la baisse de la mortalité n'a commencé à se faire sentir qu'à partir de la deuxième décennie du XIXᵉ siècle.

Ce qu'il faut en définitive bien noter, c'est que les progrès de la sphère agricole et donc la *croissance des biens de subsistance* vont favoriser la croissance de la population, notamment par la réduction du taux de mortalité. Croissance de la population qui est tout sauf vertigineuse, mais qui est continue. Les effets bénéfiques des progrès de l'agriculture seront relayés ensuite, dans la seconde moitié du XIXᵉ siècle, par ceux de la vaccination permise par les recherches de B. Jenner.

– 2 –

La diversité
des systèmes productifs

Dans l'Europe de 1780-1850, la révolution industrielle, l'émergence du capitalisme de la fabrique ne se sont pas réalisés partout à la même date. Sans doute parce que loin de n'avoir que des causes économiques, cette mutation possède des racines sociales. Chaque pays définit un contexte différent. L'Histoire a retenu qu'après l'Angleterre, qui fait figure de leader incontestable, il y a des pays suiveurs, des pays en « retard ». Tel est le cas de la France qui, bien que grande puissance économique (mais son économie paysanne apparaît plutôt léthargique) et militaire, ne voit émerger que lentement le régime de la grande industrie. Deux autres exemples européens retiendront ensuite l'attention (Belgique et Allemagne), offrant des situations inédites.

I - LA MONTÉE EN PUISSANCE
DE L'ÉCONOMIE BRITANNIQUE

F. Caron a pu écrire que les années 1815-1850 ont vu naître en Grande-Bretagne un ordre économique nouveau : celui du libre-échange, de la monnaie stable, du laisser-faire tempéré par quelques lois sociales. En quelque sorte, l'Angleterre, après avoir été un pays leader (quant à la croissance industrielle), devient maintenant un pays « exemplaire ». Son modèle industriel et entrepreneurial lui permettra de supplanter l'économie hollandaise et de mettre fin au leadership de cette dernière. Le système bancaire et financier construit par la Grande-Bretagne, ajouté à sa stratégie de libre-échange (par ailleurs sélectif), sont autant d'atouts pour faire de ce pays une grande « puissance impériale ».

A/ La naissance du leadership anglais

Selon A. Maddison, depuis 1670, il y a eu seulement trois pays leaders dans le monde économique capitaliste. La croissance économique du leader se réalise très près de la « frontière technique » avec des taux d'accroissement de la productivité élevés – les économies qui suivent ayant des niveaux de productivité plus bas. Le leadership est donc défini en termes de *productivité*.

◆ D'un leadership à un autre : l'Angleterre supplante la Hollande

La République hollandaise fut le pays leader de 1700 à 1785 (environ). En 1700, son produit par tête était une fois et demie plus élevé que celui de l'Angleterre, la nation concurrente. Bien que peu peuplée, elle possédait un taux d'urbanisation très fort. Il s'agissait déjà d'une économie bien structurée. Les performances de cette nation de deux millions d'habitants peuvent s'expliquer par trois grandes raisons : la modernité d'institutions hautement favorables à l'esprit d'entreprise (liberté de diversification des produits, activités non entravées par des restrictions corporatives...), la situation géographique (contrôle des rivières donnant accès aux marchés du cœur de l'Europe, ports tournés vers l'océan...), le recours à des politiques économiques mercantilistes imaginatives. La plupart des progrès britanniques réalisés au cours du XVIIIe siècle proviendront de l'imitation du système hollandais de capitalisme commercial. Ce rôle de suiveur tenu par l'Angleterre n'empêchera pas l'émergence, vers 1820, de changements techniques importants dans les usines textiles (coton), les manufactures de fer et l'utilisation décisive du charbon. Ces prémices de la première révolution industrielle, encore très marginales dans le système productif anglais, constituaient pourtant une différence déterminante entre les deux nations, et formèrent un des leviers du capitalisme industriel. Les facteurs explicatifs de l'avance anglaise résident dans :

— les institutions britanniques, qui permirent un développement de l'esprit d'entreprise et une attitude positive devant les technologies ;

— la réponse britannique (usage du charbon) à la contrainte issue du manque de bois ;

— le relais pris par les Anglais dans l'exercice du leadership commercial mondial. Quant à ce troisième élément, A. Maddison remarque qu'il « fit probablement le plus pour lancer le Royaume-Uni dans la nouvelle technologie textile, compte tenu de l'existence d'un marché en forte expansion en ce domaine. L'ascension des monopoles commerciaux britanniques et la domination qu'ils exercèrent sur le commerce mondial furent aussi un facteur décisif du déclin hollandais ». Près des deux tiers des exportations anglaises relevaient de l'industrie textile.

◆ Le modèle industriel

L'industrie anglaise a été, durant la première moitié du XIXᵉ siècle, le moteur de la croissance de l'économie britannique, le taux de croissance annuel moyen atteignant presque 4 % – ce qui, par rapport aux périodes précédentes, est proprement phénoménal –, les années 1830 correspondant à la croissance la plus vive. Jusqu'à cette date, l'industrie textile, et plus particulièrement celle du coton, fut l'industrie motrice (vers 1850, l'ensemble de la filière textile-habillement occupait le cinquième de la population active) ; elle fut relayée ensuite par celle des biens de production, et en particulier le secteur sidérurgique. Ce *redémarrage sidérurgique* (F. Caron) est à mettre en relation avec le développement du chemin de fer et, plus généralement, de branches industrielles nouvelles (la diversification de la structure productive). En parallèle, on assiste à une accélération de la croissance de la production de charbon (40 % de 1815 à 1830, doublement de 1830 à 1845).

La généralisation des produits sidérurgiques correspond à la pleine affirmation du système technique nouveau de la première révolution industrielle. Toutefois, un mouvement plus structurant traverse tout le système industriel anglais : le progrès de la productivité, l'amélioration des performances industrielles. Le développement de techniques de fabrication de plus en plus capitalistiques (usage des machines à vapeur, mécanisation...) et l'extension des infrastructures de transport vont imposer une formation de capital (investissement) importante. L'investissement dans le secteur industriel et commercial ne représente toutefois qu'une faible part de l'investissement total (15 à 20 %) et est sans doute fortement concentré dans les deux grands secteurs moteurs (industries du coton et du fer).

Il faut ici faire une place spéciale à ce que l'historiographie de la période retient dans la « *railway mania* » que l'on situe dans les années 1835-1840. Le nombre de lignes ouvertes connaît un bond prodigieux ; c'est à cette époque qu'est achevée la ligne reliant Londres à Birmingham. Les chemins de fer constituèrent la principale dépense de capital engagée par l'Angleterre. Un second boom ferroviaire commença dans les années 1844-1848. Ces investissements massifs ont accéléré la croissance et le développement économique.

B/ Les prémices de la puissance impériale

Devenue dans le courant du XVIIᵉ siècle une des premières puissances maritimes, la Grande-Bretagne pratiqua d'abord une politique de protection de son territoire et de ses comptoirs. Dès 1651 apparaissaient les premiers « Actes de navigation ». Renouvelés en 1662 et 1673, ils donnaient aux bateaux anglais le monopole de l'approvisionnement des Iles Britanniques et des colonies. C'était la logique du « pacte colonial ». Les actes de navigation ne furent abandonnés qu'en 1849, après que la Grande-Bretagne, à l'instigation de Robert Peel, eut choisi le libéralisme. Celui-ci va s'appuyer sur un système bancaire et financier de plus en plus structuré pour donner à la Grande-Bretagne un rôle clé dans une stratégie internationale de libre-échange.

◆ Le système bancaire et financier en cours d'aménagement

Il ne fait pas de doute que, dans le domaine bancaire et financier, 1830 constitue un tournant.

Au cours d'une première période (la première phase de la révolution industrielle avant la *railway mania*) qui s'achève en 1830, les investissements à long terme des firmes étaient autofinancés, le crédit à court terme étant assuré par le système bancaire. Un tel système équilibré perdait un peu de son efficacité avec les progrès de la révolution industrielle. Le développement de la taille des entreprises et l'apparition d'investissements d'infrastructure gigantesques imposaient un nouveau système de financement. Ainsi est né un véritable marché des titres. Dès 1825, on assiste à un mouvement massif de création de sociétés par actions (à cette date, principalement dans le secteur minier), ensuite décuplé par les booms du secteur ferroviaire.

D'où le développement du Stock Exchange de Londres et la création de marchés des titres dans les grandes villes (Manchester, Liverpool). C'est donc bien l'action ferroviaire qui fut à l'origine d'un véritable marché national des capitaux.

Pour le système monétaire et de crédit à court terme, le tournant se situe vers 1825. Après les guerres menées contre Napoléon, l'économie anglaise eut à faire face à une situation classique de reconversion : l'arrêt des commandes de guerre ne fut pas compensé par un développement important de la demande civile. Une déflation s'ensuivit, les banqueroutes sévirent dans l'industrie, secouèrent les banques locales d'émission et débouchèrent sur une véritable panique en 1825. Une réforme s'imposa : les *joint stock banks*, littéralement « banques par actions », en fait surtout des banques de dépôts, pouvaient émettre des billets, mais elles ne pouvaient briser le monopole de la Banque d'Angleterre à l'intérieur d'une large zone autour de Londres. Les banques multiplièrent les succursales ; cependant, un mouvement de fusion et de concentration anima le secteur. Ces banques privées eurent des comportements risqués et ne contribuèrent pas à la stabilité monétaire du pays.

En ce qui concerne les règles monétaires, après plusieurs années de difficultés pour la livre, la convertibilité est rétablie en 1821. Il faudra attendre 1833 pour que le billet de banque ait cours légal. Le débat public se déplace vers la politique que doit mener la Banque d'Angleterre.

— D. Ricardo (1772-1823) avait très tôt défendu la thèse selon laquelle le billet de banque se déprécie vis-à-vis de l'or lorsque la quantité émise dépasse fortement la valeur de la réserve d'or (l'Angleterre est monométalliste) détenue par la Banque d'Angleterre. Il soutient que la banque doit sciemment limiter l'émission au niveau de la valeur de l'encaisse métallique. C'est la position du *Currency Principle*.

— Tooke, auteur d'une magistrale *Histoire des prix et des mouvements de la circulation* (1856), soutient un point de vue différent. Le billet de banque correspond beaucoup plus à une *monnaie de crédit*. On doit donc prendre en compte, afin de régler son émission, les besoins des agents économiques, en particulier la demande de crédits, qui émane principalement des entreprises. Si la banque centrale crée de la monnaie fiduciaire à la suite de la présentation d'effets de commerce à escompter, il ne peut y avoir excédent monétaire par rapport aux besoins de l'économie.

En 1844 (le 19 juillet), le Premier ministre anglais, Robert Peel, adepte du

Currency Principle, le fait adopter dans un *Charter Bank Act* qui contient d'importantes dispositions : la Banque d'Angleterre est divisée en deux départements, le département de banque *(Banking Department)* et le département d'émission *(Issue Department)* :

— Le département de banque est un établissement de crédit qui n'a pas le droit d'émettre les billets qu'il met en circulation (il les reçoit de l'autre département).

— Le département d'émission émet les billets ; en deçà d'une certaine norme, il le fait contre remise d'actifs financiers, au-delà, il ne peut fournir des billets que contre de l'or ou de l'argent.

La réforme monétaire de 1844 aussi bien que les lois libre-échangistes jettent les bases institutionnelles d'un nouvel ordre économique mondial (F. Caron). Elles seront les causes déterminantes de la confiance dont va jouir la livre sterling jusqu'à la Première Guerre mondiale et de la position centrale et dominante de l'économie anglaise dans l'économie mondiale.

◆ La stratégie du libre-échange

En Angleterre, au début du XIXe siècle, les prix relativement élevés des grains (série de mauvaises récoltes, guerres) sont la cause d'un mécontentement réel dans les villes. Une campagne orchestrée par Richard Cobden incite R. Peel à supprimer les *Corn laws* (taxes sur les grains importés) en 1846. C'est un coup porté à la situation des propriétaires fonciers et des fermiers, qui voient la concurrence se densifier. Les blés étrangers étant maintenant vendus à un prix plus faible sur le marché anglais, les producteurs nationaux sont obligés de suivre ce mouvement pour parvenir à écouler leur production : c'est ainsi que le prix du blé va diminuer. Les véritables difficultés pour les agriculteurs britanniques apparaîtront en 1870.

Le libre-échange s'impose également pour les autres produits importés, y compris sous le ministère Gladstone (1853). Toute l'école classique anglaise, y compris A. Smith, se trouve être favorable au libre-échange. D. Ricardo (*Essai sur l'influence du bas prix du blé*, 1815 ; *Principes d'économie politique et de l'impôt*, 1817) soutient avec conviction l'entrée des blés étrangers pour une raison déterminante : la suppression des droits de douane est un moyen d'empêcher la hausse du prix du blé, qui constitue l'essentiel, à l'époque, de la nourriture du peuple. La baisse du prix des produits de nécessité tend à diminuer le salaire réel et empêcher la baisse du taux de profit entretenue par le relèvement des rentes. En réalité, les libéraux pensent que la situation de libre-échange est toujours favorable aux pays participant à l'échange international. De ce point de vue, elle est prise en défaut en deux aspects : d'une part, le libéralisme est quelque peu sélectif (l'Angleterre n'a introduit le libre-échange avec ses colonies qu'à partir du moment où la supériorité de ses produits est devenue manifeste) ; d'autre part, le bilan de son application aux colonies britanniques montre que l'analyse libérale se révèle peu pertinente : on notera par exemple le cas négatif de l'Inde, où le commerce avec la métropole a entraîné la mort de l'artisanat et de l'industrie textile.

II - LA FRANCE : LENTE ÉMERGENCE D'UN SYSTÈME INDUSTRIEL MODERNE

Les changements brutaux du cadre politique et institutionnel français entrent en contraste avec la modicité et la lenteur de la croissance industrielle. C'est très progressivement qu'émerge l'industrie capitaliste moderne en France. Pays des révolutions politiques mais du conservatisme économique, en « retard » par rapport à l'Angleterre, où se côtoient révolutions économiques et empirisme politique. En France, les progrès sont graduels à cause des effets plutôt ambivalents de la Révolution et de pesanteurs socio-économiques qui rendent compte de la lente émergence des formes modernes de production.

A/ Le bilan ambivalent de la Révolution française

Il apparaît présomptueux de vouloir dresser un bilan définitif de la Révolution française si sa finalité était bien, comme l'a enseigné Tocqueville, d'abolir partout les restes des institutions du Moyen-Age. Moment privilégié de cette longue transition du féodalisme au capitalisme, elle a pu marquer en profondeur les structures et les comportements sociaux. Avec elle, on assiste à l'avènement de la société moderne bourgeoise et capitaliste dont « la caractéristique essentielle est d'avoir réalisé l'unité nationale du pays sur la base de la destruction du régime seigneurial et des ordres féodaux privilégiés » (A. Soboul).

◆ Distinguer le court et le long terme

Il est de tradition, depuis les travaux de H. Sée, de considérer que la Révolution française a plutôt constitué un obstacle au développement économique à court et moyen terme, mais a rendu possible la croissance à long terme (même relativement faible) et l'essor des structures capitalistes et de la bourgeoisie industrielle.

A court terme, le bilan économique de la Révolution française et du régime napoléonien apparaît plutôt désastreux dans de multiples domaines. L'*instabilité monétaire* liée à la mise en circulation des assignats a entraîné des spéculations de toutes sortes et, plus fondamentalement, une destruction des circuits monétaires et une vie commerciale engourdie, puisque les détenteurs de biens refusent de recevoir des assignats grandement dévalorisés. Les grands ports français (Marseille, Bordeaux, Le Havre) perdent leur première place en Europe, et le commerce avec l'Amérique du Nord va leur échapper. Les ports de l'Atlantique étant très liés aux industries intérieures, c'est tout le tissu industriel interne qui subit le contrecoup du marasme du commerce extérieur. Celui-ci est encore aggravé par les barrières douanières établies par les pays européens ; de ce fait, les industries textiles (coton, laine) perdent leurs marchés extérieurs.

Toutefois, l'industrie va pouvoir bénéficier de deux éléments favorables : le *protectionnisme extérieur* et le *libéralisme intérieur*. Les révolutionnaires français, et à leur suite Napoléon, mais avec d'autres perspectives, ont repris ce qu'il y avait de plus traditionnel dans la politique commerciale de l'Ancien Régime : le protectionnisme. Il marque la volonté d'échapper à l'agressivité des industriels anglais, dont les structures productives performantes ne permettaient pas l'extension d'une industrie française trop récente. Parallèlement, on joue à l'intérieur la carte libérale en supprimant les entraves à la circulation des produits. Un marché national, et relativement protégé, se constitue, transcendant les spécificités régionales.

◆ La modernisation industrielle du tournant du siècle affecte surtout le textile

De 1795 à 1800, on voit apparaître en France des manufactures de coton dont la structure se rapproche de la fabrique : assez concentrées, déjà mécanisées et commercialement performantes. Elles sont crées *ex nihilo*, ne proviennent pas des manufactures de l'Ancien Régime, et produisent pour le marché intérieur (mais doivent importer le coton brut). Elles se situent dans la région parisienne, en Haute-Normandie, dans la région lilloise et en Alsace. Le travail à domicile (le *putting out system*) reste dominant, le *factory system* l'emporte plutôt dans le nord de la France. Il reste qu'il existe parfois une articulation entre les deux formes de production : un même centre commercial peut contenir les deux systèmes. Les recherches de C. Ballot ont montré que la seule industrie qui s'est vraiment transformée entre 1792 et 1815 dans le sens d'une mécanisation (du machinisme) fut le travail de la laine. Les grands industriels de la période, Oberkampf, Richard-Lenoir, Perier, ont été des diffuseurs de techniques plutôt que des innovateurs.

B/ La lente émergence des formes de production modernes (1815-1850)

Le lent développement de l'industrie française est une donnée centrale de l'histoire économique de la France dans la première moitié du XIXe siècle. F. Caron propose de considérer le pays comme un « pays suiveur », ce qui apparaît confirmé par le fait que les machines étaient importées d'Angleterre. On peut caractériser le développement industriel français en retenant : premièrement, la faible intensité des progrès techniques, associée à une réelle dépendance par rapport à l'Angleterre, deuxièmement, l'originalité du modèle de croissance.

◆ Les raisons d'un faible rythme de diffusion des innovations

L'historien américain A. L. Dunham a pu expliquer le faible développement des techniques en France par la « mentalité paysanne » des ouvriers et des patrons, par une main d'œuvre abondante qui ne favorise pas le recours au machinisme, et par la maigre utilisation du charbon, qui est cher du fait des coûts de transport. Ce dernier élément est déterminant car le charbon permet d'équiper les machines à vapeur, et à volume égal il fournit plus de chaleur que le bois ; à l'opposé, la révolution industrielle en Angleterre a été certainement favorisée par l'importance et la facilité d'extraction de cette réserve d'énergie. Ce n'est que très tardivement que les entrepreneurs français vont l'utiliser, quand il pourra être distribué à grande échelle grâce à l'amélioration des voies d'eau navigables et à la constitution d'un réseau de voies ferrées. Le « *putting out system* », largement dominant durant cette période, est fondé sur la mécanisation du travail dans l'industrie. La machine à vapeur ne fut utilisée par Dollfus-Mieg, pourtant entrepreneur « dynamique », qu'en 1812 ; elle se diffusa très lentement dans l'industrie textile. En 1850, l'énergie d'origine animale (chevaux, bœufs) reste encore très importante, et la force hydraulique (notamment dans les Vosges et en Normandie) n'a pas été supplantée par l'innovation du siècle, la machine de Watt. La lenteur de cette révolution a pu découler paradoxalement d'une caractéristique du produit de l'industrie textile française : sa très bonne qualité, à l'opposé du produit anglais déjà « banalisé », fabriqué par des procédés fortement mécanisés. On a là un indice prouvant que les changements industriels impliquent non seulement de nouvelles méthodes de production mais aussi une recomposition des gammes et des variétés de produits.

Le nouveau système technique, fondé sur l'emploi généralisé du métal, l'utilisation de la machine à vapeur, et les gains dus à l'introduction de cette dernière dans l'industrie du charbon, a atteint son plein développement vers 1850. Cette structuration des techniques se construit lentement, à tel point que les historiens d'origine anglo-saxonne ont presque nié l'existence d'une révolution industrielle pour la France. Une caractéristique du développement français est l'inexistence d'un secteur de biens d'équipement : on a importé les machines et les procédés d'Angleterre, et transféré le savoir-faire avec l'immigration ouvrière (il existe bien entendu quelques exceptions notables, dans l'industriel textile notamment). A cela nous devons ajouter, sans expliquer les relations de cause à effet, que la science française cessa peu à peu, à partir des années 1840, de jouer les premiers rôles en Europe. Alors qu'au début du siècle la supériorité de la France était manifeste en matière scientifique (voir le rôle de Lavoisier), le bilan est un peu moins flatteur plus tard.

Comment rendre compte de cette incapacité relative à maîtriser de façon autonome les techniques nouvelles ? On a d'abord mis en avant le faible esprit de compétition des industriels français, et, pour T. S. Ashton, même la Révolution n'aurait pas tué le vieil esprit mercantiliste. Un tel facteur pourrait expliquer, entre autres, les difficultés à concevoir en même temps les changements dans les procédés et les transformations subséquentes dans les produits. Comme le note justement F. Caron : « La France n'a jamais surmonté cette contradiction entre son désir d'édifier une industrie moderne à base scientifique et sa volonté de sauvegarder le petit atelier produisant des articles de bon goût pour une clientèle riche. » On comprend pourquoi Toynbee a pu caractériser en général la révolution industrielle par un *changement d'organisation*, l'*apparition de la concurrence* et le *rejet des règlements médiévaux*. Il ne faudrait pas conclure trop rapidement, à partir de ces données, à une inaptitude technique générale de la France. On peut noter une richesse de savoir-faire artisanaux qui expliquent certainement des facultés de réappropriation des procédés étrangers. De même, dans la sidérurgie, où l'imitation a été déterminante, la greffe a réussi car les entrepreneurs locaux possédaient une réelle culture technique et une attitude quasi scientifique devant l'innovation.

◆ **Un modèle de croissance néanmoins original**

Cette période de l'histoire qui débute avec la Restauration et finit avec la Monarchie de Juillet, reste comme étant *celle des notables*. Ils représentent la couche dirigeante d'une société de transition entre la société de l'Ancien Régime et la société du grand capitalisme. Mais, derrière, un mouvement plus profond se dessine. La France de 1840 « rappelle encore de façon si frappante l'Ancien Régime », mais si le capitalisme n'a pas encore triomphé, « on peut saisir des signes non douteux de son prochain avènement » (H. Sée). P. Léon a même pu écrire que durant les années 1820-1840 le capitalisme s'épanouit. Cette perspective ne se présente pas en contradiction avec les opinions d'E. Labrousse selon lesquelles la première partie du XIXe siècle relève encore de l'Ancien Régime, ni avec celles de Sée pour qui le capitalisme industriel ne commence en France véritablement qu'à partir de 1850. Les deux problématiques semblent complémentaires : on a affaire à une société combinant des structures anciennes et nouvelles mais qui se prépare à basculer dans la logique du capitalisme. Ainsi, on ne trouve pas encore les caractéristiques du capitalisme industriel triomphant. Les faits stylisés du développement économique français pourraient être les suivants :

— *S'agissant de l'agriculture*, comme a pu le souligner F. Braudel, la modicité des rendements (en particulier ceux du froment) a prolongé en France une économie paysanne pratiquement jusqu'au milieu du XIXe siècle. Dans un contexte où la production croît surtout en fonction de l'accroissement des surfaces exploitées, on ne peut parler de « révolution agricole », tout juste d'une lente évolution (les exploitations restent petites, morcelées, et le système de travail familial prédomine).

La croissance générale du revenu de l'agriculture entre 1820 et 1840 a certainement eu un effet positif sur l'ensemble du système productif et donc également sur le système industriel. La très faible productivité du travail dans la sphère agricole entretient le sous-emploi chronique et ne favorise pas un transfert de main d'œuvre notable sur l'industrie. Subsiste alors cette industrie rurale sur la frontière entre agriculture et industrie.

— *La croissance industrielle* est soutenue sous la Monarchie de Juillet (autour d'un rythme annuel de 3 % selon les évaluations); elle touche la fabrique urbaine concentrée et mécanisée mais aussi l'industrie proto-capitaliste, artisanale rurale. Selon les estimations de T. J. Markovitch, le produit industriel global s'élevait, autour de 1840, à 6 835 millions de francs, dont 1 612 pour l'industrie proprement dite, 401 pour l'autoconsommation paysanne et 4 373 millions pour le secteur de l'artisanat. Cette croissance est en grande partie « tirée » par l'investissement (développement des infrastructures ferroviaires) et par l'exportation.

Cette croissance industrielle, sans aucun doute inférieure à la croissance anglaise, se réalise sans relèvement notable du taux d'investissement (de 1815 à 1854, il passe, selon T. J. Markovitch, de 16,2 à 17,7 %), qui reste plus faible qu'en Angleterre (encore qu'on ait eu tendance à gonfler son montant).

Au total, l'économie industrielle française n'en finit pas de se détacher de l'économie paysanne.

III - L'INDUSTRIALISATION EN EUROPE : LES AUTRES VOIES

L'industrialisation du continent européen s'est réalisée avec retard. Si l'Angleterre avait en quelque sorte montré l'exemple, des pays comme la France (on l'a vu) ou comme la Belgique ont suivi avec un décalage la croissance industrielle anglaise ; d'autres ont connu une industrialisation plus tardive, c'est par exemple le cas de l'Allemagne. L'industrialisation imposait en effet un accompagnement de transformations institutionnelles, intervenant à des rythmes divers selon les nations, compte tenu de leur histoire, de leurs structures sociales, etc.

A/ Un pays suiveur : la Belgique

L'industrialisation de l'économie belge est très particulière en ce qu'elle montre, mieux qu'ailleurs, que le cadre national n'est pas toujours approprié à l'examen du développement industriel.

◆ Un ensemble riche et diversifié

En l'espèce, l'économie belge s'était depuis longtemps intégrée à deux zones économiques particulièrement dynamiques : le Nord de la France et la zone économique rhénane. Ainsi, l'essor des charbonnages belges dans la période 1830-1840 s'explique aisément par le réseau de canaux qui permettait d'écouler les produits vers Paris. Une autre singularité du développement tient dans le fait qu'existent, à l'intérieur du pays, des pôles régionaux (un centre urbain et des campagnes environnantes), foyers d'une réelle mutation industrielle, peut-être même très proches du modèle anglais dont d'ailleurs on copie les technologies. C'est sans doute parce que ces zones industrielles ont un passé industriel et artisanal qu'elles vont pouvoir maîtriser les méthodes de production anglaises et devenir des centres de diffusion vers l'Europe. On trouve par exemple Gand, qui, malgré la concurrence étrangère, la fermeture des marchés extérieurs (l'Angleterre pour cause de blocus continental, la Hollande pour cause de protectionnisme), réussit à maintenir tout un système de fabrication d'articles de coton selon un schéma très classique d'articulation avec des tisseurs à domicile (dans un premier temps), de mécanisation du tissage selon le modèle de la fabrique (dans un second temps) avec « remontée » de la filière par la création des grandes filatures modernes. On a également l'industrie lainière de Viviers, d'un niveau technique tout à fait comparable à celle de l'Angleterre, disposant des procédés mécaniques (à l'exception du tissage) grâce au grand industriel William Cockerill (1759-1832).

◆ Une industrialisation originale

Ici apparaît un trait d'un schéma d'industrialisation que l'on retrouve dans d'autres pays (à l'exception de la France) : c'est la *mécanisation du textile,* qui sera le point de départ d'une industrie de construction de machines qui devait faire de la région de Liège un grand centre sidérurgique et minier. Autre grand centre sidérurgique et minier, la région de Charleroi, techniquement en avance, qui connut un développement puissant sans doute à cause d'un mode de financement désormais classique, mais très novateur dans les années 1830-1840. En effet, la constitution de sociétés anonymes, dans lesquelles les banques détenaient une partie du capital, fit beaucoup pour les progrès de la révolution industrielle dans la région. L'historiographie retient plusieurs facteurs généraux très favorables au décollage industriel du pays :

— D'abord, une population finalement « nombreuse » pour l'époque

(4 millions environ vers 1840, contre 16 millions pour l'Angleterre). La Belgique n'était donc pas un petit pays, et était en outre largement urbanisée, beaucoup plus que l'Angleterre). Cela a beaucoup fait pour l'unité de l'économie.

— A cela s'ajoute que les auteurs principaux du développement industriel furent l'État et le système bancaire, surtout après 1835. Comme en France, l'État soutint les réalisations industrielles, élabora une législation minière associée à une gestion performante. On cite également comme réussite l'édification rapide d'un réseau ferroviaire grâce à une mobilisation considérable de l'épargne (les trois quarts par l'emprunt, le reste fut d'origine étrangère).

A l'opposé du modèle français, les grandes banques (Société Générale, créée en 1822 ; Banque de Belgique, créée en 1835) participèrent activement et directement à la croissance des entreprises industrielles et en firent de véritables championnes, au premier rang des entreprises du continent, dans la phase finale, dite de consolidation, de la révolution industrielle (où les grandes industries « lourdes » requièrent un financement externe pour réaliser des investissements de modernisation).

B/ Une industrialisation plus tardive : l'économie allemande

A la différence de la Belgique, l'Allemagne est une nation extrêmement éclatée. Si des efforts sont faits pour remédier à cette situation, le pays reste très morcelé dans la première moitié du XIXe siècle. Comme dans beaucoup de pays européens, les années 1840 sont marquées par une situation économique déprimée, et des tensions sociales fortes déboucheront sur une révolution en 1848.

◆ Le Zollverein et l'union économique allemande

Sous l'égide de la Prusse, au lendemain des guerres contre Napoléon, se construisit une unité économique par l'établissement d'une union douanière, le Zollverein. C'est d'abord la Prusse qui, en 1819, se constitue en espace économique unifié. Après de nombreuses vicissitudes, en 1833, la Prusse, les deux Hesse, le Wurtemberg, la Bavière, la Saxe, créent le Zollverein. Progressivement, d'autres États vont y adhérer. L'Allemagne économique s'est donc réalisée par la volonté de la Prusse, sous l'influence des idées de

Friedrich List. Non seulement elle constituait l'État le plus important d'Allemagne, mais c'était également le plus puissant, disposant d'une administration structurée, d'un système scolaire et universitaire perfectionné, de finances assainies. Un autre facteur va accélérer le processus d'unification économique : la construction d'un réseau de voies ferrées qui « favorisera le développement de l'idée nationale » (F.-G. Dreyfus). Pris en charge par l'État, le réseau se densifie : il est en 1850 presque le double du réseau français.

◆ **Les tensions sociales de la fin des années 1840**

On retient ensuite l'émergence d'une bourgeoisie allemande comme facteur d'unité économique. Après les guerres contre Napoléon, elle n'est qu'un groupe social limité. Avec l'essor économique, dans la période 1835-1850, la bourgeoisie prend du poids, crée un mouvement libéral, jadis l'apanage des intellectuels, dans un pays encore marqué par de forts contrastes sociaux et politiques. Ainsi, en Allemagne de l'Est (Prusse et Mecklembourg), où règne le système de la grande propriété agricole, se poursuit jusqu'en 1840 un processus d'expropriation des paysans. Le nombre d'ouvriers agricoles double de 1816 à 1846, les salaires ruraux restent très bas, le mécontentement est grand. Quant aux salariés de l'industrie (plus d'un million), leur niveau de vie est bas et leur mode de vie tout à fait comparable à celui du salarié français, c'est-à-dire aussi misérable. L'Allemagne va connaître, dans les années 1844-1850, une très profonde crise économique. La pénurie de produits alimentaires, leur cherté, ont des conséquences dramatiques sur la population : épidémies (typhus en Silésie), progression du taux de mortalité, réduction du taux de natalité. Cela va précipiter le mouvement d'émigration, principalement vers les États-Unis. De 1820 à 1829, 5 000 émigrants quittèrent l'Allemagne, 125 000 de 1830 à 1839, 385 000 de 1840 à 1849. L'Allemagne est devenue, à travers la crise, un pays qui se vide de sa population (elle compte néanmoins 35 millions d'habitants en 1850).

– 3 –

Sociétés et nations

L'avènement de cette nouvelle civilisation annonce également de nouvelles relations sociales, un basculement de l'ancienne société vers une société bourgeoise. Les rapports entre les nations apparaissent également durablement affectés, l'espace planétaire va se rétrécir sous la poussée des Européens, parmi lesquels l'Angleterre, maîtresse des mers, impose son leadership. L'expansion territoriale, sous la pression des exigences économiques, constitue un aspect de la nouvelle économie mondiale en devenir. Fondée en apparence sur une logique – celle du libre-échange – qui ignore les frontières, elle va en réalité conduire à l'émergence de nations nouvelles qui s'efforceront, comme l'Allemagne avant elles, de conjuguer division internationale du travail et développement national.

I - NOUVELLES STRATIFICATIONS ET TENSIONS SOCIALES

A travers la mise en place des innovations majeures de la première révolution industrielle et avec l'extension de la fabrique, c'est aussi, dans l'ordre social, la naissance du prolétariat industriel et le triomphe de la bourgeoisie. La vie sociale va s'ordonner autour de l'opposition de ces deux classes, caractérisée par des tensions aux formes différentes selon les époques et selon les nations. Cette montée du capitalisme se réalise à travers une nouvelle configuration spatiale qui fait de la ville le cœur des circuits économiques et le centre des oppositions sociales.

A/ Autour du phénomène urbain, une autre structuration sociale

Le développement du secteur industriel, la régression (relative ou absolue) de l'agriculture en termes d'emploi, l'urbanisation croissante, la salarisation des relations de travail, contribuent à modifier considérablement les rapports sociaux.

◆ La répartition de la population

Les tendances sont plus avancées en Angleterre : la population est plus industrielle et moins rurale, l'exode rural est important, surtout de 1800 à 1830, alimentant en forces de travail les marchés du travail urbain (pratiquement, en 1850, l'industrie occupe 4 millions de personnes, soit près du quart de la population totale).

La structure de la population active (en %)

	Agriculture	Industrie et commerce	Autres
Angleterre (1841)	20	43	37
France (1851)	64,5	27,5	8
États-Unis (1850)	65	17,5	17,5

Répartition de la population au milieu du XIXᵉ siècle (en millions d'habitants)

	Population urbaine	Population rurale	Total
Angleterre (1851)	9	9	18
France (1851)	9	27	36
États-Unis (1850)	20	3	23

S'ajoute à cet exode rural la poussée démographique ; on tient là les racines de l'impulsion urbaine : en Grande-Bretagne, en 1850, 10 villes dépassent 100 000 habitants (pour 5 seulement en France, pays pourtant deux fois plus peuplé); on décompte d'énormes métropoles, Londres

(2,3 millions), Manchester, la ville du coton (0,4 million), Glasgow (0,3), Birmingham (0,2).

◆ L'industrie quitte la campagne pour la ville

On se dirige vers une *civilisation de la ville capitaliste* avec la fin du *domestic system*, de la manufacture rurale dispersée, et la montée en puissance du capitalisme, de la manufacture concentrée et de la fabrique. Reprenons l'analyse de ce phénomène faite par J.-P. Rioux : le système capitaliste nouveau est originellement marqué par la concentration du pouvoir. La ville est le carrefour des voies nouvelles de communication ferroviaire ou maritime, elle contrôle les réseaux, soumet les petites villes, les zones rurales, devient le centre moteur de la vie économique. La ville assume également les fonctions de recherche et de création technologique, favorise le développement des universités. La grande ville est « la seule où les banquiers de type ancien ont pu s'adapter aux nécessités nouvelles du crédit et de l'investissement car ils disposaient de réserves suffisantes et de nombreux déposants ». La grande banque urbaine favorisera le crédit industriel, elle pourra donc contrôler l'industrie. Bref, la ville attire les moyens de communication, les outils de l'information, les infrastructures du savoir, les centres de la circulation monétaire, les pouvoirs financiers. Elle tisse son réseau d'influence, domine l'espace rural. Cela stimule l'industrialisation et la croissance de la population urbaine, qui entretiennent le développement urbain. A la fin du XIXᵉ siècle, le gonflement de la population des villes donne naissance aux activités tertiaires (bancaires, commerciales...).

B/ Une classe ouvrière très hétérogène en cours d'organisation

L'hétérogénéité de la classe ouvrière est directement issue de la diversité du monde industriel : persistance de l'artisanat ; travail à domicile (très répandu en France dans les zones rurales), quelquefois structuré par des marchands qui donnent à fabriquer (système dit du « marchand fabricant », de la « manufacture dispersée », du *« putting out system »*) ; manufacture concentrée où le travail reste foncièrement manuel et la qualification, artisanale ; fabrique *(factory system)* enfin, forme de production typique de la révolution industrielle.

◆ Figures et conditions de vie de la classe ouvrière

• *Travail et qualification*

Avec la mécanisation (l'activité de tissage du coton est très représentative des procédés mécanisés), le savoir-faire de l'ouvrier des manufactures et l'habileté des artisans disparaissent, les ouvriers sont « incorporés à un mécanisme mort qui existe indépendamment d'eux », ils suivent le « mouvement impitoyable d'un mécanisme sans âme », « d'un grand automate » (K. Marx). Au fur et à mesure que grossit la sphère industrielle, que se diffusent les méthodes de fabrication fondées sur le principe mécanique, augmentent le nombre de fabriques et la population active ouvrière.

L'absence d'une réglementation du contrôle du travail et de l'embauche à cette époque fait qu'il est extrêmement difficile d'évaluer quantitativement la classe ouvrière et sa structure. En Angleterre, on estime à environ 3,5 millions de personnes la population active dans l'industrie manufacturière (dont 1,5 pour le textile). La progression du salariat des fabriques peut être estimée à partir des données suivantes : autour de 1820, les travailleurs dans le tissage des fabriques s'élevaient à 10 000 pour un total de 250 000 dans cette branche ; ils vont passer à 150 000 sur un total de 210 000 en 1845 – dans le même temps régressait le nombre de travailleurs occupés par le tissage à main : de 240 000 à 60 000 personnes. En France, on évalue à 3 millions le nombre de salariés de l'industrie en 1840, pour une polulation active totale de 14 millions de personnes. Le système du travail à domicile, très répandu, va régresser petit à petit. D'après les statistiques de Chaptal, il représentait 80 % de la force de travail au début du XIXe siècle, Villermé l'évalue à 60 % en 1840, et Audigannes propose le chiffre de 50 % au milieu du siècle.

• *Conditions de travail et mode de vie*

L'exploitation des enfants se pratiquait comme une chose très naturelle, nous dit P. Mantoux. En Angleterre, dans l'industrie du coton, les moins de 14 ans représentaient 13 % de la main d'œuvre totale, les jeunes de 14 à 18 ans, 12,4 %. Les premières lois limitant ou interdisant le travail des enfants sont votées en 1833, puis 1842 pour le travail des mines. Mais ces règlements ne sont pas appliqués dans toutes les fabriques et certainement pas dans le système du travail à domicile *(domestic system)*. Les enfants de moins de 13 ans représentent encore 5 % de la main d'œuvre de l'industrie cotonnière en 1850. En France, la main d'œuvre était également enfantine, mais aussi féminine. Vers 1850, les femmes devaient représenter près de

40 % du salariat industriel. A elle seule, l'industrie textile mobilisait près d'un million de travailleuses.

Les conditions de vie de la classe ouvrière sont épuisantes : très longues journées de travail (12 à 15 heures), insalubrité du logement, instabilité économique accentuant la misère. Cette situation sera décrite par des rapports officiels. Celui de Villermé pour l'industrie française (*Tableau de l'état physique et moral des ouvriers employés dans les manufactures de coton, de laine et de soie,* 1840), et le rapport sur la condition sanitaire des classes laborieuses (1842) s'appuyant sur les cas des salaires des grandes métropoles anglaises (Liverpool, Manchester), décrivaient une souffrance physique proprement inhumaine. C'est dans cette période que naît le mouvement ouvrier et syndical.

— *En Angleterre,* Robert Owen va inciter les ouvriers à se regrouper en un seul syndicat, la *Grand National Trades' Union* (1834), qui compte bientôt 500 000 adhérents. Mais l'union syndicale est un échec : Owen lui-même va prononcer la dissolution de l'organisation, quelques mois plus tard. L'action ouvrière, toujours sous l'impulsion d'Owen, s'engagera alors dans la vie politique à travers le *mouvement chartiste.*

— *En France,* la classe ouvrière est particulièrement active parmi les forces qui chasseront du trône Charles X puis Louis-Philippe. Le mécontentement ouvrier débouchera sur des émeutes ou des soulèvements populaires comme ceux des canuts de Lyon dans les années 1830. Plus généralement, les idées des « socialistes utopiques » structurent les débats, celles de Fourier, Cabet, Proudhon, L. Blanc.

Marx et Engels publient en 1848 le *Manifeste du parti communiste,* qui se veut une critique de la bourgeoisie et un appel pour une stratégie politique offensive.

◆ Des bourgeoisies triomphantes

Les figures de la bourgeoisie sont multiples, ainsi que ses origines.

Le travail d'A. Daumard a bien montré, pour ce qui concerne l'espace social français, l'extrême mobilité de la bourgeoisie parisienne jusqu'en 1848 ; ayant des racines dans toutes les provinces françaises, elle va étendre sa domination sur l'ensemble du système économique. A vrai dire, les figures de la bourgeoisie ont sans doute été transformées avec la montée du capitalisme industriel. Ainsi, selon J.-P. Rioux, aux premiers temps de la révolution industrielle, quelques individus décidés, issus de milieux ruraux pauvres ou de l'artisanat, peuvent risquer l'aventure et réussir. En Russie, les premiers fabricants de textile de la région d'Ivanovo, vers 1830, sont d'anciens paysans ou commerçants très modestes qui tentent le pari industriel. En Grande-Bretagne, Richard Arkwright, né dans une famille pauvre en 1732, fut d'abord apprenti barbier, puis vendeur de perruques. Ce n'est qu'en 1768 qu'il construit sa première machine, avec la dot de son épouse. Après avoir amassé quelques capitaux, il ouvre ses premiers ateliers. En 1779, il emploie 300 ouvriers sur ses *water-frame*. « Mi-ingénieur, mi-marchand, Arkwright est le capitaliste pionnier que la recherche du profit mue en industriel » (J.-P. Rioux).

Les ascensions individuelles et familiales ne sont pas rares, surtout dans la première phase de la révolution industrielle. Plus tard, elles sont très exceptionnelles. Les affaires requièrent la possession d'un capital important. Il devient alors clair que les gros commerçants, négociants, armateurs, ou banquiers peuvent devenir plus facilement des industriels, à condition de disposer de certaines qualités comme la hardiesse ou la capacité à utiliser les compétences de leurs subordonnés. L'exemple des frères Pereire en France est très éclairant. Émile et Isaac Pereire, deux jeunes Israélites originaires du Portugal, s'établissent à Paris en 1822. Après quelques succès boursiers, ils prendront part à toutes les nouvelles affaires passant par le marché financier. Saint-simoniens, ils vont promouvoir les structures d'une banque moderne à la hauteur de leur projet industrialiste. Dès 1860, leur activité comprend les transports urbains et maritimes, le matériel ferroviaire, le gaz, bref, les grandes infrastructures. « Leurs ambitions sont aux dimensions de l'Europe... » (J.-P. Rioux).

Ainsi, l'ascension vers la haute bourgeoisie emprunte des voies variées, mais cette mobilité semble plutôt réservée à la moyenne et petite bourgeoisie. L'affirmation de la bourgeoisie se développe à travers des voies différentes selon les nations. En Angleterre, la base économique des anciennes classes dominantes, la noblesse et la gentry, va se rétrécir au profit de la bourgeoisie industrielle libérale ; toutefois subsistera une alliance entre aristocratie foncière et grande bourgeoisie bancaire et financière. Dans une France rurale, agricole, artisanale, la bourgeoisie capitaliste devra composer avec les couches moyennes et la petite bourgeoisie. La survie de l'artisanat et de la petite agriculture familiale en sera le débouché économique. En Allemagne, la noblesse foncière détient le pouvoir politique à travers l'État prussien, elle sera le levier de l'industrialisation.

II - EXPANSION TERRITORIALE ET COLONIALISME : « LE MONDE PÉNÉTRÉ PAR L'EUROPE »

Les deux grandes puissances coloniales que furent le Portugal et l'Espagne vont perdre l'essentiel de leur empire en Amérique Latine, la Hollande ne finit pas de lutter contre la décadence de sa Compagnie des Indes occidentales, minée par la corruption. La Hollande n'est plus une grande puissance. La période est marquée par l'affirmation d'une nouvelle puissance impériale, l'Angleterre, à côté de laquelle l'Empire français fait pâle figure. Seuls l'Indochine, l'Extrême-Orient et le Moyen-Orient échappent encore à l'Europe, qui poursuit sa « pénétration du monde » (F. Mauro). La mise en place d'une véritable filière mondiale du coton en est une illustration.

A/ L'économie impériale anglaise

Il semble aujourd'hui banal de souligner que l'Angleterre a construit son empire par la force de son *organisation maritime*. Jusqu'en 1850, la voile reste dominante malgré les progrès de la navigation à vapeur. Celle-ci sera utilisée pour les trafics plus courts (pour cette raison, la route de l'Amérique du Nord – *Cupard Line* – sera en avance sur les autres) sans parvenir (encore) à concurrencer la première sur des routes plus longues (absence de ports charbonniers, poids et volume du charbon embarqué dans les soutes...). Mais le système commercial anglais repose sur d'autres bases tout aussi solides : des docks, des bassins à flot, des assurances (dont la fameuse Lloyd's), qui exerceront un quasi-monopole mondial, des banques, un réseau de courtiers et de transitaires, plus tard le télégraphe électrique (la première ligne transatlantique Angleterre-Terre-Neuve date de 1858)... « Ne domine pas le monde qui veut » (F. Braudel).

◆ Les trois zones de la domination britannique

● *Les vieilles colonies d'exploitation*

Il s'agit principalement des colonies situées dans les Antilles et des Indes *orientales*.

— Elles sont en premier lieu essentiellement concentrées autour des *Antilles* et, sur le continent, le *Honduras* et la *Guyane*. Le produit essentiel reste la canne à sucre, à côté de produits plus spécifiques comme le café, le tabac, la banane. Le système de production fait appel à une main d'œuvre d'esclaves, au moins jusqu'en 1834, date à partir de laquelle, progressivement, l'esclavage est aboli. Le sucre des Antilles britanniques souffrira alors de la concurrence d'autres zones coloniales, toutefois le libre-échange britannique permet quelques entorses : on instaurera un tarif douanier préférentiel.

— Les **Indes orientales,** possession de l'*East India Company*, sont largement agricoles. Le régime agraire du continent indien est très marqué par le droit paysan local. L'organisation économique initiée par la Compagnie vise à prélever un impôt foncier *(land revenue)*, soit directement, soit avec des intermédiaires. La situation économique sera aggravée par le morcellement (presque incessant) des terres, favorisé par le système juridique en vigueur qui maintient le paysan dans la misère, l'empêchant de mettre en œuvre de nouvelles méthodes d'exploitation. Finalement, jusqu'en 1850, la question économique essentielle est celle de la famine (liée aux sécheresses, aux inondations...) contre laquelle la Compagnie se mobilise peu. Mais la modification qui intervient au début du xixᵉ siècle concerne l'artisanat indien, qui va être ruiné par la concurrence des produits de la métropole. Lorsqu'en 1857 on supprime la Compagnie des Indes, le système artisanal est moribond, le pays ne peut vendre son coton que brut. L'Angleterre va rechercher de nouvelles contrées à coloniser, principalement en Afrique où elle possède déjà des comptoirs de traite des Noirs.

• *Les nouvelles colonies de peuplement*
Ce sont le Canada, l'Afrique du Sud et l'Australie.

— D'abord le **Canada,** qui a été définitivement perdu par la France en 1763. Le pays est peu peuplé par rapport à l'immensité du territoire. Il ne forme pas encore un espace économique unifié (des zones monétaires différentes le composent). La société reste pionnière, rurale. Les ressources forestières et minérales sont encore très peu exploitées.

— L'*Afrique du Sud*, auparavant hollandaise, devient anglaise en 1795. Elle connaît un mouvement d'émigration interne (le *trek*) : les agriculteurs hollandais progressant vers le nord vont créer trois nouvelles républiques. La population d'origine européenne est encore très peu nombreuse ; aussi, par exemple, dans la colonie du Cap, les Noirs sont majoritaires. Le pays exporte du vin et de la laine.

— L'*Australie* compte 400 000 habitants en 1850, pour l'essentiel des éleveurs dont la richesse est le mouton. La Nouvelle-Zélande est annexée en 1840.

● *La zone d'Amérique Latine*

Progressivement, dans les premières décennies du XIXe siècle, les pays d'Amérique Latine vont conquérir leur indépendance au détriment des anciennes puissances que furent l'Espagne et le Portugal. Le Brésil, qui avait connu le cycle du sucre au XVIIe siècle, puis le cycle de l'or au XVIIIe siècle, entre avec le XIXe siècle dans le cycle du café. Toutefois, l'histoire économique du pays va être fortement influencée par l'abolition du pacte colonial (1808) : les produits étrangers peuvent être importés au Brésil, quitte à payer un droit de douane (toutefois important : 24 %). L'Angleterre, en butte au blocus continental, trouve dans la personne du roi du Portugal, ayant fui les troupes napoléoniennes et réfugié à Rio, un allié qui lui concède une réduction de 15 % des droits de douane. F. Mauro a bien montré le caractère néfaste à moyen terme de cette politique d'importations : déséquilibre de la balance commerciale, impossibilité de créer une industrie.

◆ **La colonisation française**

Les conséquences de la politique européenne, continentale, anti-anglaise de Napoléon sont plutôt néfastes en termes de territoires pour la France. La Louisiane est vendue aux États-Unis, Saint-Domingue devient indépendante, le pays perd des îles dans les Antilles. La Restauration verra une reprise en main, à travers l'action énergique du ministère des Colonies : les colonies abandonnées, tout spécialement aux Antilles, sont à nouveau dans l'espace économique français ; de nouvelles actions sont entreprises pour élargir et mettre en valeur les nouvelles zones (au Sénégal, à Madagascar, à la Guyane). La grande affaire de la colonisation de l'Algérie sera l'œuvre de la Monarchie de Juillet. Après la prise d'Alger en 1830, de 1840 à 1848 s'accomplit la pacification de la Mitidja et de Chelif. De nombreux ouvriers vaincus lors des journées de 1848 peuplèrent ce nouveau territoire. En 1848, la IIe République abolit l'esclavage (la traite des Noirs était, elle, interdite depuis 1817).

B/ La nouvelle division internationale du travail : l'exemple du coton

La vague du coton a touché l'Europe entière. Son histoire est surprenante car elle offre des repères pour comprendre la surprenante domination de l'Angleterre.

◆ Une production hiérarchisée

Au départ, les cotonnades sont importées en Europe, elles proviennent très souvent de l'Inde (d'où leur nom d'« indiennes »). Il y a donc un marché pour ce type de biens qui offrira des opportunités d'imitation pour les entrepreneurs anglais et français (comme le célèbre fabricant Oberkampf). Le coton brut est toujours importé, mais cette fois le travail du coton se développe en Europe sous l'effet des perfectionnements techniques (filage et tissage mécanisés) et grâce aux mesures protectionnistes interdisant l'importation de pièces de coton. La production cotonnière anglaise ne va cesser de s'accroître du fait de la progression des marchés africains et sud-américains. En Afrique, la pièce de coton est échangée contre un esclave (un esclave, nous dit F. Braudel, y est dit *« una paça d'India »*), quant à l'Amérique du Sud, l'Angleterre dispose d'un rapport de forces favorable, et monopolise purement et simplement ce marché. Disposant de bonnes manufactures, ainsi que du pouvoir économique et politique de conquête du marché, elle va concurrencer les cotonnades indiennes sur leurs propres territoires. Deux remarques : en premier lieu, on constate que se met en place une division verticale du travail au niveau international ; ensuite, la matière première coton n'est pas produite en Angleterre, mais dans les pays du « Tiers Monde » (comme l'on dit aujourd'hui), puis l'importation européenne sera autorisée par la source d'approvisionnement que constituent les États-Unis.

◆ Supériorité technique et domination anglaise

Quelques indices de la consommation de coton brut en Angleterre : du niveau 1 vers 1700, elle passe au niveau 2 en 1750, à 30 en 1800, à 500 dans les années 1840 : en un siècle et demi, la quantité importée a été multipliée par 500. Secondement, la baisse des prix du coton filé a été massive, en raison presque essentiellement de la mécanisation et des rendements croissants à l'échelle. Le prix passe de 38 shillings en 1786 à 9 shillings (environ) en 1800, puis presque à 2 shillings en 1832 ; il est pratiquement divisé par 20 en un demi-siècle (une partie de cette baisse est toutefois imputable à celle du prix du coton brut importé). Même phénomène pour le tissage ; la mécanisation accroît la productivité et réduit fortement le prix de la pièce de coton (une baisse de 4 à 1 pour une pièce de calicot de Manchester de 1814 à 1833). On comprend que cette diminution des prix présente des avantages à l'exportation, car les pièces de coton sont majoritairement exportées (près des deux tiers de la production sont exportés vers 1850). Toutefois, ce n'est pas la loi économique qui assure le succès de l'industrie britannique, F. Braudel nous met en garde : « A l'abri de l'essor prodigieux du coton, l'Angleterre submerge le marché mondial des marchandises les plus diverses. De ce marché mondial, elle exclut les autres. Un gouvernement agressif, belliqueux chaque fois qu'il le faut, réserve à l'industrie anglaise ce vaste domaine où l'expansion semble n'avoir plus de bornes. »

III - VERS UNE AUTRE ÉCONOMIE MONDIALE

Au cours du XVIIIᵉ siècle, l'Europe a prodigieusement développé ses échanges avec l'Afrique et l'Amérique, prolongeant l'essor né avec les grandes découvertes du XVᵉ siècle. L'Europe, au début de la révolution industrielle, accède au leadership mondial, au sein duquel l'Angleterre et la France rivalisent ; l'américanisation des échanges caractérise cette période. Très progressivement, la traite des Noirs va s'éteindre en Afrique. On a vu dans le paragraphe précédent comment le capitalisme européen émergent pénètre le monde. Ainsi, une économie mondiale nouvelle supplante l'ancienne logique commerciale. Cela transparaît avec netteté dans la nouvelle division internationale du travail : l'exemple du coton fait bien sentir que dorénavant c'est le cœur industriel européen qui structure les réseaux d'échange. Dans le même temps, la Russie, qui s'était déjà ouverte à l'économie européenne à la suite des actions de Pierre-le-Grand, entame un processus d'industrialisation. Enfin, les État-Unis construisent les ressorts économiques d'une future grande puissance.

A/ La Russie : des progrès industriels sous influence

Bien que l'ensemble du système productif russe soit sous l'influence du passé, une industrialisation émergente rencontre quelques blocages.

◆ Le système productif russe et l'héritage du passé

Au XVIIIᵉ siècle, la Russie rattrape une partie du retard qui la séparait de la Suède et de l'Angleterre, et entre dans l'ère industrielle grâce aux efforts de Pierre-le-Grand et de ses successeurs. L'industrie métallurgique de l'Oural constitue l'axe de ce développement quoique limité et sans doute exceptionnel dans une économie largement agricole. Les manufactures que comptait le pays s'étaient édifiées sur une base féodale et servile, autrement dit leur essor n'était pas le fait d'une bourgeoisie entrepreneuriale, industrielle, mais de féodaux qui désiraient parachever l'exploitation de leurs serfs. Menée sur une base sociale aussi rétrograde, cette structuration industrielle présente des limites. F.-X. Coquin pose de façon extrêmement claire l'enjeu du phénomène : « (...) ni Alexandre Ier, malgré ses velléités libérales primitives, ni davantage Nicolas Ier, hanté sa vie durant par le spectre de l'insurrection décabriste ne se résoudront (aussi peu que leur aïeule Catherine II) à affranchir la paysannerie et à permettre ainsi l'avènement d'une classe ouvrière bien différenciée et d'une élite économique nouvelle. Bien au contraire. » Les souverains russes sont pris dans une contradiction difficile à résoudre. Ils veulent accroître la grandeur de leur pays, l'indépendance nationale, voire le pouvoir extérieur de la Russie. Cela plaide pour une stratégie d'industrialisation forte et durable. Toutefois, celle-ci a un effet nuisible : en entraînant la disparition de la paysannerie, elle sape les valeurs anciennes sur lesquelles repose l'autocratisme des tsars. L'émergence du prolétariat risque d'amener de fortes tensions sociales, la constitution d'une classe bourgeoise favorisera sans doute les valeurs libérales et démocratiques. Options abhorrées. Ni Alexandre Ier ni son frère Nicolas Ier ne se prononceront en faveur d'une politique délibérément industrialiste.

Cela étant posé, le système productif russe possède quelques traits caractéristiques dans les premières décennies du XIXe siècle : faible secteur urbain (à peine 10 % de la population), marché intérieur peu développé du fait d'une importante autoconsommation paysanne, préférence du consommateur pour les produits du petit artisanat local, monnaie constamment instable et fortement dépréciée. L'instauration du protectionnisme en 1822 aurait pu constituer le levier d'une industrialisation plus dense, un peu à l'image de l'Allemagne. Il n'en fut rien, car le protectionnisme était davantage l'occasion de renforcer un tarif aux frontières, afin d'alimenter les rentrées fiscales de l'État. Pis, ce protectionnisme empêcha l'entrée des techniques occidentales et bloqua le progrès technique sur une moyenne-longue période.

◆ Une industrialisation en partie bloquée

● *Une industrialisation difficile...*

L'émergence d'un secteur industriel fut lente, progressive. De 100 000 (environ) en 1800, le nombre d'ouvriers est multiplié par 5 en 1850. Les manufactures seigneuriales (draperies, fabriques de toile, distilleries...), aux produits de médiocre qualité, aux méthodes de production rudimentaires, laisseront un marché pour les produits plus sophistiqués issus de méthodes de production plus modernes et exigeant une avance en capital plus coûteuse. Ces nobles pré-industriels, « d'une mentalité servile et féodale (...), ne parviendront jamais à se muer en une classe d'entrepreneurs modernes, et, après avoir été longtemps leur fief, l'industrie drapière finira par leur échapper à partir des années 1840 » (F.-X. Coquin). En définitive, le système du servage, naguère un atout pour le seigneur, n'était plus le rapport social approprié à la nouvelle donne industrielle ; les progrès de la mécanisation pouvaient rendre une partie des travailleurs excédentaires et nécessiter l'ajustement du nombre de travailleurs au volume de production. Autant d'objectifs impossibles avec le servage. Le temps de la main d'œuvre forcée finissait avec la naissance d'un marché du travail salarié. Seule exception, la métallurgie ouralienne, où subsista très longtemps encore l'infrastructure économique servile. Issues de la politique industrialiste de Pierre-le-Grand, maintenues par les commandes militaires et la captivité du marché intérieur, les fonderies conservaient les méthodes proto-industrielles : travail manuel et charbon de bois. Ce retard entravera le développement d'une industrie mécanique et ferroviaire.

● *... et polarisée*

On date l'essor de l'industrie cotonnière de 1822, et avec lui le début de la révolution industrielle (timide). La présence d'une industrie du coton remontait au milieu du XVIIIᵉ siècle à Saint-Pétersbourg. Comme dans les autres pays, elle s'édifie sur une base moderne, capitaliste. Concentrée dans les provinces de Moscou et de Vladimir, elle se développe grâce au marché intérieur protégé. Deux statistiques décrivent cette croissance : en 1804, il y a 8 181 ouvriers occupés dans l'industrie cotonnière ; en 1960, ils sont 151 500. Jusqu'en 1830, le coton filé était importé d'Angleterre ; au milieu de la décennie 1830, trois grandes filatures (de 20 000 à 40 000 broches) sont construites dans la grande capitale du Nord. Progressivement, les filatures s'implanteront sur l'immense territoire russe, et la modernisation technologique va gagner lentement les différents stades de la filière cotonnière et de l'industrie textile. Le machinisme reste jusqu'en 1850 plutôt exceptionnel et expérimental.

Blocage du processus capitaliste ? Concluons avec l'opinion de F.-X. Coquin (dont l'étude nous a beaucoup servi) : « Insuffisance de crédit, répugnance à investir à long terme, loyer élevé de l'argent, lenteur de rotation des capitaux... ou défaut de confiance, d'initiative et (comme on disait encore) de "connaissances utiles" – la responsabilité de cet état de choses incombait en dernière analyse au servage qui perpétuait les anciennes valeurs terriennes ou féodales ». Pour ces raisons, on a pu dire que la Russie avait réalisé des progrès techniques sans révolution industrielle.

B/ Une grande puissance en devenir : l'économie américaine

L'expansion que va connaître l'économie américaine va permettre une réelle émancipation économique par rapport à l'Angleterre, suite logique de l'indépendance politique acquise à la fin du XVIIIe siècle.

◆ La frontière et le développement économique des États-Unis

Les traités signés entre la France, l'Angleterre et l'Espagne entre 1783 et 1803 donnaient la possibilité aux 13 colonies d'Amérique de s'étendre jusqu'au Mississippi et au-delà. Le « front de la colonisation » (la frontière) ne va pas cesser de se déplacer vers l'Ouest. Pour F. J. Turner, la conquête de la frontière a modelé tout le caractère américain et va commander l'évolution économique. C'est également lui qui fournit une typologie sommaire mais très parlante de la colonisation des terres : le premier pionnier est chasseur, marchand ou missionnaire, puis il devient éleveur, ensuite agriculteur, enfin apparaît la vie urbaine. F. Mauro propose la vision suivante du déplacement du front : « En 1830, elle était partout au-delà du Mississippi, atteignant même, au-delà de Saint-Louis, la région de l'actuelle Kansas City et englobant l'Arkansas et la Louisiane. En 1860, au moment de la Guerre de Sécession, elle englobait une partie du Minnesota, l'Iowa, le Missouri et une bonne part du Texas. » Parallèlement, l'Oregon, la côte du Pacifique, l'Utah furent progressivement colonisés. C'était le Far West.

Il reste à situer deux questions : quelles sont les causes de l'extension territoriale ? Quelles sont les causes de l'appropriation des terres ? Il convient d'abord de souligner que les États-Unis constituent un *pays d'immigration*. La population va passer de 10 à 23 millions de 1820 à 1850. Le flux migratoire explique une grande partie de cette croissance. Par exemple, dans les années 1845 à 1847, on estime à près d'un demi-million le nombre d'immigrés (principalement des Irlandais chassés de leur pays par la famine). Il y aura aussi des Allemands, qui vont majoritairement s'installer comme agriculteurs, et des Anglais. Cela peut remettre en cause le schéma avancé par F. J. Turner. Celui-ci considère que lorsque la situation sociale devenait plus dure dans les villes industrielles de l'Est, que les ouvriers subissaient plus fortement l'exploitation, ils avaient la possibilité d'échapper à leur condition et de s'établir librement comme pionniers ou agriculteurs sur la frontière ; Turner envisage même cette frontière comme terre promise de liberté et d'égalité. Il est certainement possible qu'une partie des ouvriers aient été attirés par la frontière : ainsi, les États-Unis ont connu une période tout à fait opposée à celle de l'Europe, où la population rurale excédentaire se dirigeait vers les activités des villes (industrielles notamment), alors qu'outre-Atlantique on pouvait partir vers la campagne. On tient ici un facteur responsable de la rareté relative de la force de travail américaine, rareté qui aurait incité à développer le machinisme sur une échelle plus massive.

◆ Le démarrage industriel

On reconnaît généralement une accélération de la croissance industrielle dans la période 1840-1860, période du *take-off* pour Rostow. Les progrès les plus spectaculaires eurent lieu dans la décennie 1850. L'axe de cette industrialisation est constitué des industries textiles, qui ont initié de forts effets d'entraînement sur l'industrie des biens d'équipement : pendant longtemps, la fabrication des machines textiles fut l'activité industrielle la plus importante. C'est à partir de cette base productive que va ensuite émerger une puissante industrie mécanique, et le système américain de manufacture. S'agissant maintenant de l'industrie lourde, les conditions naturelles ont été très favorables à l'émergence d'un secteur sidérurgique important : mines de fer et de charbon facilement accessibles, hauts rendements miniers... L'industrialisation, qui va se concentrer dans le nord-est et la région des Grands Lacs, sera comme en Angleterre densifiée par la révolution des transports. Toutefois, à ce Nord en voie d'industrialisation fait face un Sud largement agricole, tourné notamment vers la production de coton (le « royaume du coton ») dont la culture repose encore sur l'esclavage.

DEUXIÈME PARTIE

L'affirmation
de la civilisation industrielle

———

Les années 1840 ont été des années difficiles en Grande-Bretagne, à tel point que les historiens anglo-saxons ont évoqué à leur sujet les années de la faim et de la colère *(hungry and angry forties)*. Le chômage a fortement frappé le monde ouvrier et les industriels ont été confrontés à une conjoncture durablement dépressive. C'est pour échapper à cette situation que le gouvernement anglais de Sir Robert Peel va changer les règles du jeu économique en optant pour le libre-échange. Ce choix majeur correspond à une fuite en avant vers la croissance économique. Pour maintenir les salaires à un niveau garantissant la compétitivité britannique, on accepte d'importer massivement des céréales. Cela autorise en effet une baisse des prix du pain, et donc des salaires dans le même temps : c'est l'expression d'une préférence pour l'industrie, qui condamne l'agriculture anglaise à un rôle marginal.

Ce pari économique, politique et industriel sera gagné dans la mesure où, à partir de 1848, la conjoncture économique va connaître une durable amélioration. La seconde vague de la première révolution industrielle (acier et chemin de fer) va s'épanouir et se diffuser rapidement dans les années 1850-1860. C'est aussi ce que les spécialistes des cycles économiques appellent la phase A d'un cycle long, caractérisée également par une lente amélioration de la situation du prolétariat. Ainsi, le milieu du XIXe siècle est bien une époque charnière, qui ouvre sur une nouvelle phase de l'histoire du capitalisme, laquelle va conduire de la première à la seconde révolution industrielle (chapitre 4). Mais, en se diffusant en même temps qu'elle se renouvelle, la civilisation industrielle va déboucher sur une nouvelle hiérarchie des puissances économiques (chapitre 5). La Grande-Bretagne est progressivement rattrapée, voire dépassée par des pays comme les États-Unis et même l'Allemagne.

– 4 –

D'une révolution industrielle à l'autre

Les historiens de l'économie reconnaissent qu'après les années 1850-1860, la nature du capitalisme industriel s'est transformée (Jean Lhomme). Une nouvelle révolution industrielle (la seconde) a fondamentalement modifié le système technique, et préparé la voie à une nouvelle civilisation matérielle : automobile, chimie, électricité. Une modification des structures et des institutions du capitalisme (la grande entreprise, le système financier, la naissance d'un système bancaire cohérent) travaille profondément les pays européens et les pays neufs. Ces bouleversements induisent de nouveaux rythmes industriels (cycles et fluctuations économiques) alors que le capitalisme triomphant devient la logique de production dominante.

I - DU CHEMIN DE FER À L'AUTOMOBILE : LA SECONDE RÉVOLUTION INDUSTRIELLE

Nous suivons ici le travail de B. Gille, dont le modèle historique suggère qu'une autre révolution industrielle (la seconde) aurait créé dans la seconde moitié du XIXᵉ siècle un système technique très différent de celui de la fin du XVIIIᵉ siècle ou du début du XIXᵉ siècle ; « Pour peu que l'on étudie sérieusement les techniques à la veille de la Première Guerre mondiale, on s'aperçoit qu'elles sont tout autres que celles qui s'étaient généralisées vers 1850 (...) : l'avion, le pétrole, les turbines thermiques, l'acier, la chimie organique, l'électricité (...) représentant bien, de prime abord, un système technique presque entièrement nouveau. » Au système ancien dont la structure ternaire était fer-charbon-machine à vapeur, se substitue, pour simplifier, une autre structure, acier-électricité-moteur. Si la locomotive à vapeur symbolise (et résume) le premier, l'automobile donne une image réduite du second. Toutefois, le second n'élimine pas instantanément le premier : ainsi, il faudra attendre encore beaucoup d'années avant qu'on ne diésélise ou électrifie les réseaux des voies ferrées. Cette révolution industrielle possède une caractéristique inédite : la technologie est dorénavant soumise à la « poussée de la science », il s'ensuit un profond renouvellement industriel.

A/ Les caractéristiques de la seconde révolution industrielle

Pour les principales nations industrielles, les années 1850 marquent un tournant : la science et les découvertes scientifiques s'intègrent à la production. Auparavant a fonctionné un modèle ancien : la science, « propriété générale de la société », avait une incidence sur la production ; on lui substitue un modèle nouveau : elle peut être propriété du capitaliste au « centre même de la production ». Telle est la perspective nouvelle qui se dessine : la genèse scientifique des innovations.

◆ La genèse scientifique des inventions techniques

La première révolution avait pour base l'ingéniosité des inventeurs, le savoir-faire de quelques ouvriers ou industriels. La seconde révolution industrielle a pour spécificité « *le mariage de la science et de la technique* ». A partir de 1850 – mais, en la matière, les dates ne possèdent pas une valeur absolue –, les innovations techniques ont pour point de départ des découvertes scientifiques ; des échanges réciproques existent entre la science et la technologie pour de nombreuses industries. Cette vision, juste dans son principe, doit être complétée par deux remarques : il faut en premier lieu toujours garder à l'esprit que vivent encore des branches industrielles qui ont conservé l'« ancienne logique », les branches nouvelles, au contraire, sont établies pour la plupart à partir d'un système scientifique ; en second lieu, on doit noter qu'il y a toujours un écart entre la science et les techniques de production, car la « théorie est une projection scientifique d'un phénomène technique, ne sera toujours qu'une projection partielle parce qu'il existera toujours une part de réalité concrète qui lui échappe. Il n'y a pas de dégradation, il y a seulement une absence de corrélation parfaite » (B. Gille). On en déduit que la « médiation du travail est indispensable » (D. Landes), qu'il y a place encore pour la connaissance technique pratique. Toutefois, la forme artisanale du savoir-faire n'est plus la forme dominante.

◆ Des effets déterminants sur les structures productives

Trois phénomènes retiendront notre attention : l'entrée du laboratoire dans l'usine, la nouvelle idéologie qui conçoit la technologie comme l'application des sciences, l'apparition de la « troisième dimension » : l'organisation.

• *Le laboratoire dans l'usine*

Les grandes firmes conçoivent désormais la recherche scientifique et technique comme une de leurs activités. Cette nouvelle fonction appelle une infrastructure : le laboratoire ou le centre d'essais. Selon B. Gille, c'est en 1867 que la firme métallurgique française Holtzer monte un laboratoire d'usine destiné à mettre au point les aciers spéciaux. On institutionnalise ainsi la création technique. Comme l'a fait remarquer D. Landes, naît alors une « mystique de la rentabilité des sciences » puisque les firmes organisent elles-mêmes des recherches fondamentales. Deux phénomènes vont amplifier ce mouvement d'envahissement de l'usine par la « méthode scientifique » : la nécessité de la mesure des paramètres de fabrication et la connaissance précise des qualités du produit (par exemple, les coefficients de différentes catégories d'acier). On explique ainsi à partir de ces données la place nouvelle de l'ingénieur.

• *La technologie « comme application des sciences »*

Dans la seconde moitié du XIXᵉ siècle, on assiste à la naissance d'une nouvelle discipline, la « technologie », soit la connaissance rationnelle (pour ne pas dire scientifique) des procédés techniques. L'enseignement technique se modifie et l'information s'accroît par la diffusion de revues spécialisées. Cela se fait dans la nouvelle perspective : l'industrie est maintenant une application des sciences. Un symbole : le *Dictionnaire des arts et manufactures* publié par Laboulaye propose d'emblée une classification de la technologie « faite sur la base des procédés industriels considérés comme application des sciences ». Il y a quelque chose d'excessif à vouloir faire de la connaissance scientifique la matrice unique du progrès technique. Il existe une connaissance technique qui, selon la formule de B. Gille, s'empare des résultats sans se préoccuper de savoir comment ils ont été obtenus.

● *La troisième dimension : l'organisation*

Dans les dernières années du XIXᵉ siècle naît une nouvelle nécessité, celle d'organiser la production, les différentes fonctions de la firme, les relations entre les services.

La direction que prend cette troisième dimension, à la fois à côté et englobant la production et la commercialisation, s'avère elle aussi « scientifique » pour beaucoup d'historiens des techniques et de l'économie ; nous la qualifierons plutôt de « méthodique ». H. Pasdermadjian en a fourni la description suivante : « Le but général de l'organisation scientifique de l'économie consiste à aménager les activités de base des entreprises – soit la production, soit la vente – de manière à ce que celles-ci soient pré-conditionnées, c'est-à-dire que le travail d'exécution proprement dit soit réduit, simplifié et réglé à l'avance. Le but est aussi de transformer, de "traiter" des opérations – qu'elles soient de production, de distribution ou encore tout simplement de bureau – de manière à ce que celles-ci se présentent, dans la mesure du possible, avec un caractère répétitif. C'est, en effet, ce dernier caractère qui fait qu'une opération est susceptible d'être étudiée, à l'aide par exemple de procédés statistiques, et aussi qu'elle se prête à la mécanisation et à toutes sortes de mesures d'organisation » (*La seconde révolution industrielle*, Paris, PUF, 1959).

Les solutions proposées par Taylor pour l'organisation du travail et de la production, par Fayol pour l'administration des firmes, déjà en germe à la fin du XIXᵉ siècle, connaîtront un plein succès à partir de la Première Guerre mondiale. On comprend pourquoi l'organisation fait partie de l'esprit du temps : « Dans son développement technique, la machine est devenue si complexe, et de ce fait les entreprises sont devenues si énormes qu'il ne suffit plus de simples techniques pour assurer le succès de la production » (A. Siegfried).

En clair, l'accroissement de l'échelle de la production, les multiples liaisons économiques, financières, techniques, la gestion même de la production et de l'innovation imposaient une « programmation ». Tendance de fond accentuée par la récurrence des crises industrielles que les grandes firmes tentent de contourner par une gestion appropriée.

B/ Une nouvelle civilisation industrielle

Dans la seconde moitié du XIXᵉ siècle, les techniques ou industries relevant du système technique de la première révolution industrielle se diffusent encore : mécanisation du secteur textile, renforcement de la chimie lourde. Mais l'incrustation pas à pas du nouveau système technique permet le renouvellement ou la création de filières industrielles entières.

◆ L'âge de l'acier

● *L'acier au cœur du nouveau système technique*

L'acier possède toutes les qualités du fer (dureté, plasticité) à des degrés optima, mais s'en différencie par une plus faible teneur en carbone. On le produisait avec la technique du creuset. Cette méthode de fabrication, d'ailleurs assez délicate, donnait un produit relativement cher et en faibles quantités. La nécessité de répondre aux nouvelles normes de production de masse à des fins civiles et surtout militaires, stimulera plusieurs perfectionnements, d'une portée considérable. Et d'abord le procédé de Bessemer. Découvert en 1856, il revient à souffler de l'air dans le métal en fusion ; il en résulte une décarburation plus rapide, de l'ordre de 10 à 20 minutes dans les premières utilisations, contre plusieurs heures avec le procédé du *puddlage*. De plus, le convertisseur Bessemer (ou « cornue Bessemer ») réalise des économies de force de travail (on s'affranchit de la limite liée à la puissance physique du puddleur) et de matériaux. Toutefois, ce procédé nécessite des minerais de fer particuliers ne contenant pas d'impuretés. Des découvertes postérieures vont progressivement lever cette contrainte. Cependant, il fallut attendre 1878 pour qu'un Anglais, Sidney Gilchrist Thomas, présente sa découverte : de la dolomie (mélange de chaux et de magnésie), placée à l'intérieur de la cornue, absorbe les résidus phosphorés. En France, le procédé Martin (qui consiste à insérer un revêtement basique dans la cornue Bessemer) permit l'exploitation des minerais de fer de Lorraine, région qui concentrera (avec le Nord) l'essentiel du potentiel sidérurgique du pays.

● *L'ère de l'acier débute vers 1880*

S'agissant de la France, le rail de fer disparaît en 1885, les tôles de fer à partir de 1891. En 1900, le tonnage des produits en acier dépasse le tonnage des fers marchands (en 1913, cela représente seulement le tiers de la production). Ainsi, l'acier va remplacer le fer dans la fabrication des machines-outils. Enfin, la découverte de nouveaux alliages ouvre des possibilités techniques remarquables.

◆ Les progrès de l'industrie chimique

Ils sont repérables à deux niveaux : dans la *fabrication de la soude*, et dans celle des *matériaux de synthèse*. L'ancien procédé de fabrication Leblanc gaspillait le chlore et le soufre, et nécessitait du charbon à des fins de distillation. En Belgique, Solvay mit au point un nouveau procédé économisant les matières premières (1863), mais qui ne devint opérationnel qu'une dizaine d'années plus tard. En 1874, le procédé de Solvay produisait le quart de la soude française, en 1905, la totalité. La demande pour ce produit s'accrut vers la fin du siècle avec le développement de l'hygiène (lié à la progression des revenus), et celui de son usage industriel (la soude sert notamment à blanchir le papier).

Les efforts de recherche débouchèrent sur la fabrication industrielle de matériaux que l'on ne trouve qu'en quantités limitées dans la nature (synthèse de la quinine, de l'indigo, de la vanilline) ou que l'on ne trouve pas dans la nature (Celluloïd, Bakélite, soie artificielle). Ainsi naît une chimie nouvelle, dite « chimie de synthèse ».

◆ Les innovations dans la conversion de l'énergie : moteur et turbine à vapeur

L'invention du moteur illustre très bien les remarques générales de L. Mumford : « L'invention n'est presque jamais l'œuvre unique d'un seul inventeur, quel que soit son génie. Elle est le produit des travaux successifs d'hommes innombrables, travaillant à des époques différentes et souvent avec des buts différents... Le patrimoine commun des connaissances et d'habileté technique dépassent les limites des individus et des nations. »

En 1860, le Belge E. Lenoir dépose un brevet expliquant le fonctionnement d'un « moteur à air dilaté par la combustion de gaz enflammés par l'électricité, et susceptible de remplacer la vapeur comme force motrice ». On voit la différence par rapport à la machine à vapeur classique : mélange d'air et de gaz (rendu possible par la distribution sur une plus grande échelle du gaz d'éclairage) et maîtrise de l'électricité.

De nombreux perfectionnements ultérieurs firent du moteur un instrument de la révolution des transports. Charles Parson mit au point une nouvelle technique, la turbine à vapeur – l'innovation la plus importante depuis Watt, selon D. Landes – en combinant la turbine hydraulique et l'énergie provenant de la vapeur d'eau. Là encore, le nouveau contexte technique rendit possible sa construction et optimisa son utilisation. La turbine à vapeur était supérieure à la machine à vapeur classique en raison d'un volume plus réduit, de coûts d'entretien minimes. Elle se diffusera dans la machinerie marine.

En conclusion, toutes ces novations techniques, outre leur usage industriel, feront naître de nouveaux moyens de transport (puisqu'elles peuvent réaliser la traction d'un véhicule sur une route) et revitaliseront les anciens (la navigation, par exemple).

◆ Le commencement de la filière électrique

L'électricité a bien évidemment une genèse scientifique qui remonte au XVIIIe siècle avec les travaux de Volta, Ampère, etc., et des antécédents techniques avec la première machine à courant induit de Pixii et les machines électromagnétiques du milieu du XIXe siècle. Les limites des premiers procédés tenaient à leurs coûts, nettement supérieurs à ceux de la machine à vapeur; seules les piles électriques alimentaient les dynamos. L'électricité pourra s'imposer comme entrant dans les normes économiques après les succès de Siemens (qui, en 1865, mit au point la dynamo utilisant le principe de l'électro-aimant) et de Gramme. Enfin restait à régler le problème du convertisseur primaire : pour qu'un moteur électrique fonctionne, il faut que lui soit fournie de l'énergie. Les perfectionnements dans les turbines hydrauliques levèrent les derniers obstacles. En 1884, la première centrale électrique française fut construite près d'une chute d'eau.

Les retombées industrielles et domestiques furent nombreuses. De façon générale, l'électricité transforme l'usine. D. Landes souligne que « désormais le moteur pouvait être adapté à l'outil, on pouvait transporter l'outil vers le travail (...) et l'on pouvait faire disparaître cette jungle d'arbres de transmissions et de courroies ». Le moteur électrique peut être employé dans une large gamme de modèles, depuis les puissances les plus petites jusqu'aux plus grandes. Il s'agit là d'un atout favorable à sa diffusion. Indiquons, enfin, que l'électricité a transformé le mode et les conditions de vie en autorisant l'éclairage et les nouvelles formes de propulsion (tramways, métro).

II - LES TRAITS PRINCIPAUX DU CAPITALISME INDUSTRIEL TRIOMPHANT

Après 1850, le triomphe du capitalisme industriel est définitivement assuré dans les nations développées (il l'était déjà bien avant en Angleterre). Les institutions et les mécanismes du capitalisme dominant se déploient dans la sphère financière et, parallèlement, en matière de commerce mondial, conformément au modèle adopté par la Grande-Bretagne au milieu du XIXe siècle. De la même façon, la croissance démographique se conjugue avec la mise en place d'une économie industrielle mondiale.

A/ Démographie et industrie

L'augmentation de la population est un trait caractéristique du XIXe siècle, au moins pour les pays industrialisés. Pour l'ensemble de ces pays (pays d'Europe, États-Unis, Canada, Japon), la population passe de 326 millions en 1850 à 550 en 1900, puis à 612 en 1914 : un quasi-doublement en soixante ans. Il y a bien une Europe pleine, de forte densité de population. Pour Gilbert Garrier, les zones européennes les plus peuplées occupent en fait peu d'espace : une étroite bande dans l'Europe du Nord-Est, de l'Irlande à la vallée du Rhin, quelques riches zones agricoles sur le pourtour de la Méditerranée. Il y a aussi des aires européennes de basse pression démographique : les vastes espaces agricoles défavorisés de l'Europe septentrionale scandinave et russe. Comment expliquer ce phénomène ?

◆ La diffusion des progrès médicaux

Alfred Sauvy, dans sa *Théorie générale de la population*, avait pris soin de bien expliquer que « partout où des progrès techniques ont été réalisés, la porte a été ouverte à l'accroissement de la population. Et dans la majorité des cas, cette possibilité nouvelle a été exploitée ». Les progrès économiques firent naître une forte émulation dans la lutte contre les principales maladies (typhoïde, choléra, diphtérie…), l'amélioration de l'hygiène et la révolution pasteurienne (la vaccination) font le reste. Regardons le cas de l'Allemagne : en 1881-1890, son taux de natalité était de 34,2 ‰, le même qu'au début du siècle, tandis que son taux de mortalité s'était abaissé à 22 ‰ contre 30 ‰ en 1800, principalement grâce à la baisse de la mortalité des jeunes enfants.

Bien entendu, les régimes démographiques sont très différents selon les nations, mais un élément demeure : pour l'ensemble du monde développé (Europe, États-Unis, Canada, Japon), le recul de la mortalité, de 1840 à 1914, est de 30 %. D'où une prodigieuse ascension de l'espérance de vie à la naissance pour la grande majorité des pays européens. Très grossièrement, et seulement pour la France, elle gagne dix années de 1850 à 1913, passant de 40 à 50 ans. Mais, là encore, il ne s'agit que d'une moyenne, plus faible pour les hommes que pour les femmes, plus faible à la campagne qu'à la ville, etc.

◆ La poursuite de l'urbanisation

L'urbanisation se présente également comme un trait majeur de la démographie des pays industriels. Le monde rural dominait encore l'Europe au milieu du XIXᵉ siècle. Progressivement, un glissement s'effectue : le dépeuplement des campagnes et la montée du phénomène urbain. Mais les statistiques nous renseignent : la tendance touche très faiblement les nations européennes de l'Est et de la Scandinavie.

Part de la population rurale dans la population totale (en %)

	vers 1850	vers 1870	vers 1910
Grande-Bretagne	45	30	12
Belgique	55	40	18
Italie	60	48	37
Allemagne	65	50	38
France	75	69	56
Suisse	75		62
Danemark	80		60
Norvège	85		74
Suède	88		76
Russie	90		75

Source : Pierre LÉON, « La domination du capitalisme », in *Histoire économique et sociale du Monde*, Armand Colin, 1977.

Des nations restent paysannes. Dans le cas français, l'urbanisation se réalise à travers le gonflement de la capitale (Paris compte 3 millions d'habitants à la veille du Premier Conflit mondial, le département de la Seine, 4 millions). Les grands centres urbains (Lyon, Marseille) se développent mais restent loin derrière Paris : doit-on incriminer la très forte centralisation française ?

◆ L'évolution des emplois

La structure sectorielle de l'emploi suit ou commande ces modifications. Elle enregistre la poussée de l'industrialisation. Partout, la part de la population active travaillant dans l'industrie s'accroît. Bien entendu, cette industrialisation, qui est le vecteur principal de la croissance économique sur moyenne et longue période, se réalise à travers une modernisation de l'agriculture (ou sa quasi-disparition comme dans le cas, toutefois exceptionnel, de l'Angleterre). On doit constater que, de façon quasi générale, la part de l'activité agricole dans la population active est supérieure à sa part dans le produit national ; on en déduit que la productivité de ce secteur d'activité reste inférieure à celle de l'industrie. F. Caron remarquait à ce propos : « En Allemagne, la part de l'industrie a un peu plus que doublé entre 1850-1854 et 1910-1913 dans le produit, et s'est accrue de 55 % dans la population active. Au Canada, de 1870 à 1910, la part de l'industrie s'est accrue de

Structure de la population active (en %)

		Agriculture	Industrie	Autres
Allemagne	1850-1854	54,6	25,2	20,2
	1910-1913	35,1	37,9	27
France	1840-1845	51,9	26	22,1
	1906	43,7	28,2	28,1
Grande-Bretagne	1851	21,7	42,9	35,4
	1901	8,7	46,3	45
Suède	1870	72	15	13
	1910	49	32	19
États-Unis	1850	55	20,7	24,3
	1910	27,4	34,4	38,2

Source : P. Léon *(op. cit.)*.

22 %, alors que sa part dans la population active a stagné. En France, si la part de l'industrie a doublé dans le produit, sa part dans la population active n'a augmenté que de 12 %. Aux États-Unis, la part de l'industrie dans le produit en valeur constante a été multipliée par 3,7, tandis que sa part dans la population active a augmenté de 66 % entre 1839 et 1919. Cette évolution résulte de la différence dans la croissance de la productivité des deux secteurs. L'une des raisons de cette différence, sensible même dans des pays de structure avancée et dont les structures agraires évoluent rapidement, est qu'à cette époque l'industrie a connu des innovations de caractère plus fondamental que l'agriculture. Dans le second de ces secteurs, l'innovation ne résulte pas en effet de l'application de la science biologique, mais d'une application de techniques industrielles ou de nouveaux modes d'exploitation de nature empirique. »

B/ Finance et commerce international

Mutation des règles monétaires, développement sans précédent du secteur bancaire, naissance des marchés financiers (notamment la bourse des valeurs, où s'échangent actions et obligations), monétarisation croissante des économies... Ce bouleversement est bien sûr en relation avec le gonflement des marchés, notamment internationaux, qui appellent des besoins de financement en rapport.

◆ L'épanouissement de la sphère financière

Les liens entre la profession du secteur productif et la sphère financière sont bien relevés par Jean Bouvier, historien attentif des institutions financières du XIXe siècle. La croissance du capital fixe a produit la centralisation des capitaux, la généralisation du crédit industriel, le drainage de l'épargne vers l'investissement. Parallèlement, on assiste à des modifications de l'offre de monnaie : généralisation de l'usage des billets de banque, extension du règlement par chèque, progression du dépôt bancaire (productif d'intérêt). Nouveaux comportements, nouvelles institutions, nouveaux mécanismes. Ces pratiques récentes de placements se diffusent plus ou moins vite dans le corps social. Les banques qui rémunèrent les ressources empruntées (ce qui peut représenter un coût élevé) sont tentées d'accorder de nouveaux crédits aux entreprises (pratique des comptes courants « à découvert »...).

◆ Le cas français

Là encore, les expériences nationales sont diverses. Faute de pouvoir les relever toutes, ce qui imposerait, toujours dans l'esprit du schéma fourni par Jean Bouvier, de bien les rapporter aux relations banques-industries, on suggérera un bref descriptif du cas français, marqué par un bouleversement du cadre institutionnel. Celui-ci date du Second Empire. Si l'on note une adaptation de la haute banque israélite (Rothschild, Lazard frères) et protestante (Vernes, de Neuflize), elle jouera un rôle moins important, bien qu'animant les banques d'affaires. On relève la création de banques à structure nouvelle et de groupes bancaires et financiers. Dans cette période naît pratiquement le système bancaire contemporain. Il s'agit de banques dont le capital est partagé entre plusieurs actionnaires (à la différence de la haute banque familiale). Les créations les plus importantes sont les suivantes :

La création des banques d'affaires

1852	Crédit mobilier des Frères Pereire
1863	Banque Impériale Ottomane
1864	Banque des Pays-Bas
1869	Banque de Paris (elle fusionnera avec la Banque des Pays-Bas en 1872)
1875	Banque de l'Indochine (elle se spécialisera dans les opérations coloniales)
1904	Banque de l'Union Parisienne
1920	Union Européenne Industrielle et Financière (créée par le groupe Schneider)

La création des banques de dépôts

1848	Comptoir d'Escompte de Paris (devenu CNEP, Comptoir National d'Escompte de Paris, en 1890)
1859	Crédit Industriel et Commercial
1863	Crédit Lyonnais
1894	Crédit Commercial de France
1921	Banque Nationale du Commerce (devenue BNCI, Banque Nationale pour le Commerce et l'Industrie, en 1931)

Ce mouvement est lié au développement des échanges commerciaux, tant intérieurs qu'extérieurs, développement qui appelait une nouvelle donne du crédit commercial à court terme et industriel à long terme ; sans oublier le crédit public, principalement étatique, qu'il s'agisse de rentes à long terme (les fameux emprunts perpétuels) ou de la dette flottante (bons du Trésor). Cette différence de termes recouvre en fait un changement dans la nature même de l'opération, si bien qu'après une mixité originelle, une spécialisation se dessine très vite entre les deux catégories d'établissements :

— Les *banques d'affaires* ont pour clientèle les sociétés et les personnes physiques fortunées. Leurs ressources propres sont très élevées par rapport à celles provenant des dépôts. Elles investissent leurs ressources sous la forme de prêts à long terme ou de participations (achats d'actions). Accessoirement, elles spéculent en bourse ou prêtent à l'État.

— La *banque de dépôts* possède une clientèle de masse qu'elle fidélise par des agences. A partir de 1870, on verra se tisser un réseau d'établissements bancaires sur tout le territoire. Recevant des dépôts à vue, la banque de dépôts ne peut les réemployer qu'*à court terme*.

◆ **Le commerce international devient déterminant et change de nature**

La fin du XIXe siècle correspond à une étonnante progression du commerce mondial. Selon A. Maddison, le volume global des exportations mondiales est multiplié par 4 de 1870 à 1914. Les progrès considérables dans le secteur des transports expliquent une partie de cette tendance. Ainsi, s'agissant des transports maritimes, la navigation à vapeur a surpassé la navigation à voile : les navires vont plus vite, amènent plus de fret, durent plus longtemps lorsqu'ils sont construits en fer au lieu de bois (25 à 30 ans, soit deux fois plus). Il n'est donc pas étonnant que la flotte marchande s'accroisse. Le degré d'ouverture d'une économie au marché mondial est résumé dans le *taux d'exportation,* qui mesure le rapport des exportations au produit national brut. Le degré d'ouverture s'accroît à la fin du siècle : les taux d'exportation des grandes nations augmentent.

Les taux d'exportation
(exportations / PNB, en %)

	1890	1910
Allemagne	13,5	14,6
France	13,8	15,3
Royaume-Uni	16,3	17,5
Europe	12,6	13,2

En 1913, le commerce intra-européen représente 40 % des importations mondiales, les importations européennes provenant d'autres zones constituent 22 % de ce commerce. Le commerce entre pays non européens s'élève à 23,3 %. La nouvelle division internationale se caractérise, pour les économies européennes, par des exportations de produits manufacturés (près des deux tiers des exportations, selon les calculs de P. Bairoch) et des importations de produits primaires.

**La structure du commerce mondial
par produits et par régions (1913)**

% des exportations mondiales			
	Total	Produits primaires	Produits manufacturés
États-Unis, Canada	14,8	13,1	33,4
Royaume-Uni, Irlande	17,3	6,2	25,2
Europe Nord et Ouest	25,3	10,6	47,9
% des importations mondiales			
	Total	Produits primaires	Produits manufacturés
États-Unis, Canada	11,5	15,2	36,5
Royaume-Uni, Irlande	11,3	19	43,1
Europe Nord et Ouest	12,1	8,2	24,4

III - CYCLES ET MOUVEMENTS ÉCONOMIQUES : LES NOUVEAUX RYTHMES DE L'ÉCONOMIE INDUSTRIELLE

L'idée que l'activité économique obéit à des fluctuations, des oscillations, est un invariant du savoir économique. Les mouvements de prix, des métaux précieux et de la monnaie ont été observés pour les économies précapitalistes. Avec la nouvelle économie industrielle, le mouvement cyclique de la production et, plus généralement, de la conjoncture, prend des caractéristiques nouvelles : celles des *cycles majeurs* ou *conjoncturels*. Des mouvements « plus longs » (sur plusieurs décennies) sont également perceptibles mais renvoient à d'autres déterminants.

A/ Les cycles majeurs de l'activité

Contrairement à ce que propose l'orthodoxie néo-classique, une économie industrielle capitaliste ne chemine pas d'un équilibre à un autre, équilibre assuré par le jeu de la loi de l'offre et de la demande. Les mouvements à court et moyen terme sont marqués au contraire par des déséquilibres persistants : chômage, surcapacité de production, inflation.

◆ Les caractéristiques des cycles majeurs et la régulation concurrentielle

Toutefois, sous l'impulsion de facteurs régulateurs, se réalisent des ajustements autorisant le maintien du système sur une trajectoire de développement (ou de non-développement). C'est ce qui pousse à parler de *cycles économiques*. Ces facteurs régulateurs (en bref, cette régulation) sont spécifiques à chaque grande époque du capitalisme. Dans cette seconde moitié du XIXᵉ siècle, la régulation est dite *concurrentielle* (R. Boyer), et se caractérise par :

— une *codification particulière du rapport salarial* : le contrat de travail est individuel, limité dans le temps ; le salaire est soumis à la loi du marché comme l'embauche (ajustement rapide de l'emploi). La flexibilité est la règle ;

— une *concurrence entre producteurs-entrepreneurs* se pratiquant essentiellement par les prix (ce qui ne veut pas dire que toutes les branches possèdent une offre atomisée) ;

— une *intervention limitée de l'État*.

La flexibilité des prix est la propriété essentielle de ce mode de régulation. L'analyse statistique et historique confirme assez bien la sensibilité des prix nominaux par rapport aux fluctuations des volumes échangés sur les marchés. Ainsi, la trajectoire d'une économie est quelque peu heurtée : apparaissent des cycles dits *majeurs* (ou de conjoncture, ou généraux, ou des affaires, ou encore Juglar, du nom de l'économiste français du XIXᵉ siècle qui les a particulièrement étudiés). Les phases alternantes d'expansion et de récession (crises) constituent le sentier « normal » que suit l'économie industrielle capitaliste. D'une périodicité de 6 à 10 ans, ce cycle général affecte toutes les branches. Dans la phase d'expansion, investissement, production, salaires et emploi varient en phase et en augmentation ; dans la phase de dépression, les quatre variables diminuent, également en phase. S'agissant du niveau des prix, les mouvements de ces derniers ne correspondent pas toujours aux évolutions cycliques de la production. Ils ne sont pas toutefois en opposition de phase. D'où une configuration de la dynamique des prix et des quantités connue sous le nom de « paradoxe de la conjoncture » (J. Akerman). Dans l'économie d'ancien régime, dominée par le secteur agricole, prix et quantités varient dans des sens opposés. En période de disette (pénurie de produit), les prix montent, en période de surproduction de produits alimentaires, les prix diminuent, voire s'effondrent. Cela tient aux particularités des produits agricoles, soumis à des aléas de production spécifiques et associés à des élasticités prix et revenus plutôt « défavorables ». Dans l'économie industrielle capitaliste, les mouvements de prix accompagneraient plutôt le profil conjoncturel, et en ce sens, ils varient plutôt comme les quantités.

◆ Les cycles majeurs : repérages chronologiques

Les cycles de conjoncture sont, pour J. Akerman, désignés d'après l'année de la crise : 1825, 1836, 1847, 1857, 1866, 1873, 1882, 1890, 1900, 1907. A cette modélisation, ajoutons les précisions de F. Caron :
- 1882 pour l'Europe, 1884 pour les États-Unis,
- 1890 pour l'Europe, 1893 pour les États-Unis,
- 1890 / 1900 pour l'Europe, 1903 pour les États-Unis.

On voit donc que ces spécialistes remontent jusque dans la première moitié du XIXe siècle. On date généralement du tout début du XIXe siècle la première crise industrielle (du nouveau régime économique) en Angleterre. Ce pays exportait à l'époque une grande proportion de sa production ; la maîtrise des mers lui permettait d'atteindre tous les marchés : Europe, Asie, Amérique. Les mauvaises récoltes du début du siècle, la chute des prix issue de la paix d'Amiens, les obstacles érigés par Napoléon à partir de 1806 contre le commerce anglais produisirent des crises. L'Angleterre parvint à ouvrir de nouvelles voies d'accès en Europe et à s'implanter sur le marché sud-américain. En 1810, Napoléon réussit à fermer les portes de l'Europe du Nord, les États-Unis de leur côté commençaient à exclure le commerce anglais, il s'ensuivit des années de dépression économique jusqu'en 1820; un nouvel effondrement en 1825 survint après cinq années de réelle expansion. S'agissant de la France, ses particularismes économiques sont tout différents : la forte présence de l'agriculture fait que la conjoncture économique dans son ensemble n'est pas dominée par les fluctuations industrielles. On admet que les crises agricoles d'ancien régime ont encore affecté la production agricole jusqu'en 1848, jusqu'en 1870 on a pu parler de crises mixtes combinant des aspects industriels (surproduction) et agricoles (sous-production).

◆ Les cycles majeurs : aperçu sur les facteurs déclencheurs

S'il est vrai que jusque vers 1880, les investissements dans les chemins de fer prirent une part majeure lors des booms (*« mania »* ferroviaire anglaise des années 1840, européenne et américaine des années 1850 et 1860, américaine, autrichienne et allemande des années 1868-1873), ils n'ont pas eu un rôle exclusif; ainsi, on parle d'un « boom électrique » allemand dans les années 1890, américain dans les années 1890... Le boom industriel qui précéda la guerre de 1914 affecta tous les secteurs industriels.

Prenons l'exemple de l'Allemagne. Les dernières années du XIXᵉ siècle sont celles d'une forte croissance industrielle et de l'accession du pays au rang de puissance navale de premier ordre. Développement, restructuration, intégration du secteur sidérurgique-métallurgique (Krupp, Thyssen, Stinnes), haute conjoncture de l'industrie électrique (en 1895, la puissance totale des usines d'électricité allemandes était de 36 000 kw; en 1901, elle avait atteint 330 000 kw). Cela se fait au prix d'un surinvestissement, d'un développement de l'investissement trop important par rapport à la demande de consommation (la crise de 1900 provoqua la constitution de deux *konzern*, AEG et Siemens, concurrents des deux firmes américaines General Electric et Westinghouse). Aussi a-t-on pu parler de « crise électrique ». En réalité, le renversement de conjoncture survint en 1900 (après trois années de hausses record) à travers une pénurie de matières premières et de main d'œuvre; il s'ensuivit une hausse des prix et du salaire journalier. Le taux d'escompte s'éleva de 2,01 à 4,45 % de 1895 à 1899. D'où la baisse de la rentabilité dans les secteurs porteurs de la croissance industrielle. Le taux d'escompte atteignit 7 % en décembre 1899, la crise se propagea dans le secteur bancaire. On retrouve, jusqu'en 1902, toutes les caractéristiques de la dépression : chômage, baisse des salaires, restructuration, création de nouveaux cartels, remplacement des émissions d'actions par des emprunts.

B/ Les mouvements long dits « de Kondratieff »

Les caractéristiques des mouvements de Kondratieff sont encore aujourd'hui assez problématiques. Se déployant en moyenne sur 50 ans, ils affectent l'évolution des prix (agricoles et industriels), voire aussi des revenus – encore que d'une façon moins nette. Leur périodicité (en réalité plutôt flexible) ne permet donc pas de les confondre avec les cycles généraux de la conjoncture. Un tableau autorise une synthèse des spécificités de ces mouvements.

◆ Les deux phases des cycles longs

Le cycle peut être divisé en deux phases (A et B) d'une durée à peu près identique, caractérisées par une évolution différente des grands phénomènes économiques.

Indicateurs	Phase A	Phase B
Prix (de gros)	Hausse	Baisse
Progrès technique	Extensif	Intensif
Emploi	Réduction du chômage	Accroissement du chômage
Masse monétaire	Croissance accélérée	Croissance lente
Profil conjoncturel	Expansion plus longue	Expansion plus courte
	Récession plus courte	Récession plus longue
Commerce extérieur	Hausse de volume	Baisse de volume
	Hausse des prix	Baisse des prix

◆ Les mouvements longs Kondratieff : repérages chronologiques

On retient généralement un schéma spécifiant un profil des mouvements au cours du XIXe siècle en trois « cycles ».

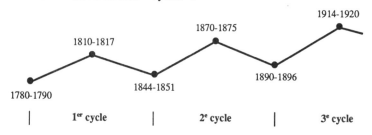

L'historiographie économique moderne est plus réservée quant à l'existence de ces mouvements économiques. S'agissant des prix de gros, on constate effectivement :

— pour les États-Unis, une diminution régulière de 1865 (environ) à 1896 ;

— pour le Royaume-Uni, une diminution aussi franche mais plutôt à partir de 1873 (environ).

Le point de renversement pour les États-Unis s'explique sans doute par les conséquences de la guerre civile, qui avait occasionné une hausse rapide des prix de gros (de l'ordre de 100 %) de 1860 à 1865. Remarquons que 1873 est également un sommet pour l'indice des prix de gros français. Il est frappant, enfin, que la baisse de 1873 à 1895 épouse les mêmes profils pour les trois pays. Cela doit être lié à l'existence d'un système monétaire international qui effectue une intégration des trois économies.

◆ **Les mouvements longs Kondratieff :**
les facteurs propulseurs

Kondratieff, au début du XXᵉ siècle, fournissait comme base explicative les vagues d'investissements dans les infrastructures (ferroviaires notamment...). Les explications modernes se partagent entre les origines monétaires et technologiques. Ainsi, pour L. Dupriez, les fluctuations longues des prix et de la valeur de la monnaie tiennent aux normes d'utilisation des possibilités de crédit, à l'invention de nouvelles formes de monnaie, à la transformation des institutions bancaires. Simiand expliquait le « retournement » par la réaction des hommes politiques et des institutions monétaires vis-à-vis de l'inflation qui accompagne la fin de la phase A (ou phase de hausse). Quant à J. Schumpeter, il a fait correspondre à trois générations de Kondratieff, trois « révolutions » techno-industrielles : le premier Kondratieff équivaut au cycle de la révolution industrielle (textile, coton, fer, machine à vapeur), le second, au cycle long « bourgeois » (révolution des chemins de fer) dans la terminologie de Schumpeter, le troisième Kondratieff est le cycle « néo-mercantiliste » (électricité, chimie, automobile).

− 5 −

Une nouvelle hiérarchie mondiale

Avec le XXe siècle apparaît une nouvelle hiérarchie entre les nations indus- trielles. Le Royaume-Uni, hier centre du monde, cède du terrain, ne parvient pas à prendre le virage de la seconde révolution industrielle. Sa production industrielle, encore que croissante, devient inférieure à celle des États-Unis vers 1900, à celle de l'Allemagne en 1913. En termes de productivité, les entreprises américaines, combinant rendements croissants à l'échelle et mécanisation, font mieux que les entreprises anglaises. Seule, mais maigre consolation, le Royaume-Uni reste une grande nation exportatrice grâce à l'Empire; cependant, l'Allemagne s'affirme déjà très conquérante sur les marchés extérieurs. Il est vrai que l'Angleterre va s'accrocher à sa stratégie de libre-échange (pas de tarifs extérieurs), alors que les États-Unis et l'Alle-

**Part des principaux pays industrialisés
dans la production industrielle mondiale (en %)**

	1870	1900	1913
France	10	7	6
Allemagne	13	17	16
Japon	—	1	1
Royaume-Uni	32	20	14
États-Unis	23	30	38
Reste du monde	22	25	25

Source : W. W. ROSTOW, *The World Economy and Prospect,* Texas, U. P., 1978.

Productivité
(PIB par homme / heure en dollars 1970)

	1890	1900	1913
France	0,58	0,71	0,71
Allemagne	0,71	0,90	0,95
Japon	(0,24)	n. d.	0,37
Royaume-Uni	1,06	1,20	1,35
États-Unis	1,06	1,29	1,35

Source : A. MADDISON, « Growth and Slowdown in Advanced Capitalist Economies », *Journal of Economic Litterature*, 1987.

magne ont une position moins extrême : les droits de douane sont accrus aux États-Unis et maintenus en Allemagne. Ainsi, la carte des puissances dominantes se trouve autrement coloriée : au centre, l'Angleterre (puissance déclinante), autour, les rivales (mais inégales), États-Unis, Allemagne, France, enfin, au-delà, le cercle des autres nations industrielles (Japon, Italie, Russie...).

I - L'APOGÉE DE L'ÉCONOMIE BRITANNIQUE ET SON DÉCLIN ANNONCÉ

L'Angleterre avait été la première à promouvoir la révolution industrielle, et à s'assurer la maîtrise des mers. Dans la seconde moitié du XIXᵉ siècle, elle poursuit sa croissance pour un temps, avant de sombrer dans une crise longue au cours de laquelle elle est dépassée par les États-Unis puis, à la veille de la Première Guerre mondiale, par l'Allemagne : apogée, puis déclin.

A/ L'apogée de l'« atelier du monde »

P. Bairoch a pu parler, au sujet de l'Angleterre, d'« atelier mondial », signifiant par là que l'activité industrielle volumineuse de cette nation structurait une grande partie du commerce international.

◆ La puissance industrielle anglaise

En 1870, le produit intérieur brut du Royaume-Uni atteint presque le chiffre de 30 000 dollars (de 1970) ; il est juste égal à celui des États-Unis, qui est le plus important du monde. Pour ce qui est de la production industrielle, c'est le Royaume-Uni qui est en tête : la production anglaise représente 32 % de la production mondiale, les États-Unis étant loin derrière avec 23 % (contre 13 % pour l'Allemagne et 10 % pour la France). En 1880, le Royaume-Uni produit plus de charbon que les États-Unis, l'Allemagne et la France réunis. S'agissant de la sidérurgie, celle de l'Angleterre est plus productive que celles réunies des États-Unis et de l'Allemagne. Il n'est pas étonnant que cela se retrouve dans les statistiques du commerce mondial.

Part de chaque pays dans le commerce mondial (en %)

	1880	1913
France	11	7
Allemagne	10	12
Royaume-Uni	23	16
États-Unis	10	11
Reste du monde	46	54

Source : W. W. Rostow *(op. cit.).*

En 1880, la Grande-Bretagne représentait près du quart du commerce international, seulement le sixième en 1913. Déclin là également, mais relatif car le volume total du commerce international ne cesse de croître. Toutefois, l'Angleterre conserve la première marine marchande du monde. Sur un total de 49 millions de tonneaux (dont 43 pour la marine à voile), l'Angleterre vient au premier rang avec 19 millions de tonneaux (plus de 20 avec les dominions), l'Allemagne au deuxième rang (5 millions de tonneaux) ; viennent ensuite les États-Unis (4 millions) puis la France (2 millions) et le Japon (1,8 million).

◆ L'empire britannique au cœur de l'économie mondiale

La Grande-Bretagne entretient avec ses colonies ou dominions des rapports complexes. Tout se passe comme si elle cherchait à organiser, sur la base du développement des activités de ses banques à l'étranger, des réseaux d'échanges de marchandises et de capitaux lui assurant un revenu maximum sur la base d'un capital investi minimum. Les exportations de capitaux à destination des États-Unis et du Canada ont comme conséquence d'amener ces deux pays à augmenter leurs importations en provenance des colonies britanniques. L'avantage pour la métropole est triple (D. Dufourt) :

— un placement rentable est effectué ;

— il induit (indirectement) un flux de moyens de paiement pour les dominions ;

— il provoque (toujours indirectement) une croissance de l'activité dans les dominions qui profitera aux exportations de l'Angleterre.

Ainsi, la Grande-Bretagne cherche à tirer le meilleur parti du multilatéralisme des échanges et des paiements, qu'elle a contribué d'ailleurs à instaurer, et qui lui permet également de conserver des positions de force dans les services de fret, d'assurance et de courtage, pour lesquels elle dispose d'un quasi-monopole. On possède ainsi une réponse à la dissociation croissante que l'on constate entre les exportations de biens d'équipement, qui se concentrent à l'intérieur de l'Empire britannique, et les exportations de capitaux, qui se dirigent davantage vers l'Amérique Latine. Ces capitaux atteignent des volumes considérables. On a estimé que de 1905 à 1914, 7 % du revenu national étaient investis chaque année par les Britanniques à l'étranger ; de 1860 à 1913, on évalue les placements à l'étranger de la Grande-Bretagne entre 25 et 40 % de son épargne domestique brute.

Structure géographique
des exportations britanniques de capitaux (en %)

	1860-1870	1911-1913
Empire Britannique	36	46
Canada	2,5	13
Dominions	9,5	10,5
Indes	21	5,5
Autres	3	(n.d.)
Amérique Latine	10,5	22
États-Unis	27	19
Europe	25	6
Autres	1,5	7
Total	100	100

D. Dufourt a proposé de lier émigration et situation de la Grande-Bretagne dans l'économie mondiale. Le Royaume-Uni exporte en effet simultanément des hommes et des capitaux. L'émigration permet un relèvement du salaire en Angleterre, tandis que l'exportation de capital, plus profitable que l'investissement sur le marché interne, permet de relever le taux de profit à condition que l'augmentation du salaire réel s'accompagne d'une diminution de la part des salaires dans la valeur ajoutée.

◆ Des relations privilégiées avec les États-Unis

Les capitaux britanniques représentaient, en 1889, 75 % du capital étranger investi aux États-Unis (en 1914, 60 %). L'Angleterre est donc le principal créancier du pays. Plus généralement, on remarque que les pays créanciers sont ceux d'où proviennent également les flux les plus consistants d'immigrants. Les investissements ont été pendant très longtemps dirigés vers les chemins de fer (qui ont reçu de 1860 à 1914 une très large fraction des investissements extérieurs), les industries, voire également les collectivités locales (emprunts des États ou des municipalités). Il faudrait ici souligner les risques inhérents à cette situation : le pays créancier principal peut faire payer au pays débiteur le prix de son endettement. Toutefois, les États-Unis ont eu une croissance économique forte, un développement industriel fulgurant. C'est ce qui leur a permis de se protéger contre une emprise anglaise très forte et de devenir à leur tour une économie dominante.

Répartition par origine des investissements étrangers aux États-Unis (en %, 1914)

Grande-Bretagne	60	France	5,7
Allemagne	13,4	Autres pays européens	2,1
Pays-Bas	9	Reste du monde	9,8

B/ Le déclin britannique

◆ Les prémices du déclin : une économie durablement concurrencée

En 1870, le Royaume-Uni, avec 32 millions d'habitants, n'est déjà plus une grande puissance démographique comparée à l'Allemagne (41 millions), aux

États-Unis (38,5 millions), à la Russie (85 millions). La diffusion de la pratique de *birth-control* a contribué à diminuer le taux de natalité ; la famille bourgeoise anglaise se calque sur la dimension « française » : 1 ou 2 enfants. La Grande-Bretagne entre dans un nouveau régime démographique (sans oublier le dépeuplement de l'Irlande).

Dès les années 1880, la Grande-Bretagne n'est plus la première puissance industrielle : elle est dépassée par les États-Unis. Dans les années 1910, elle sera également doublée par l'Allemagne.

L'Angleterre reste une remarquable puissance industrielle, encore que sa sidérurgie se fasse concurrencer par les entreprises allemandes. Une profonde restructuration touche le modèle d'entreprise : fin du capitalisme familial avec sa gestion « patrimoniale », naissance des unités géantes, mutation des statuts (apparition de la société anonyme), rationalisation financière aux dépens des rentiers. Le tout sur fond de crises périodiques plus profondes qu'ailleurs. Parallèlement, un même mouvement anime le secteur bancaire du pays sans que l'on puisse déceler une emprise du monde de la banque sur celui des entreprises industrielles. Le levier du développement économique du pays semble être le secteur du transport, et en particulier la marine marchande, en plein essor. A vrai dire, il faut tenir compte aussi des autres activités comme les assurances. D'autre part, sous l'effet de la concurrence des agricultures neuves et extensives, les prix des produits agricoles vendus en Angleterre diminuent, occasionnant une réelle ruine de l'agriculture. Devant le refus d'en venir aux mesures protectionnistes (à l'opposé de la France), le laminage du secteur se poursuivit.

◆ Le symptôme du déclin :
la crise longue du dernier quart du xixe siècle

De 1873 à 1896, l'économie anglaise va connaître presque un quart de siècle de stagnation. Alors que les exportations de la première puissance économique se sont accrues de 15,4 % par an de 1850 à 1872, elles ne vont augmenter que de 0,9 % par an de 1872 à 1905 (encore que cette performance soit due à la reprise d'après 1895). L'Angleterre subit la pression des autres industries (allemande et américaine) et va réagir par le *Merchandise Market Act* (1887) obligeant les producteurs étrangers à indiquer l'origine géographique des marchandises (mesure destinée à renforcer la préférence nationale). La crise est avant tout commerciale, marquée par le grignotage des parts de marché des entrepreneurs anglais. Les conséquences sont néfastes pour l'agriculture. Cherchant à comprimer les coûts salariaux, l'Angleterre tente de s'approvisionner aux coûts les plus bas sur le marché mondial, car, dans la période, les prix mondiaux baissent considérablement. Le prix du blé sera divisé par 5 entre 1870 et 1902, ce qui empêche les paysans anglais d'obtenir un revenu correct. L'exode rural s'accélère, dans un contexte de démobilisation générale des fermiers. L'agriculture britannique, qui, en 1860, fournissait 80 % des besoins du pays, n'y suffit plus que dans la limite de 30 % en 1900. Il faut attendre 1889 pour que l'on crée un ministère de l'Agriculture, mais les mesures prises seront trop timides.

◆ Les raisons du déclin

Quelles explications à ce déclin progressif et relatif ? On a pu avancer que l'Angleterre avait été la première à se lancer sur la voie de l'industrialisation : alors que les autres pays bénéficiaient de transferts de technique, elle se serait enfermée dans un conservatisme technologique. J. Akerman a proposé de réfléchir autrement sur l'« impuissance » industrielle anglaise : celle-ci aurait pour origine un *défaut de rationalisation*, l'industrie britannique étant par trop accrochée aux techniques traditionnelles en comparaison de « la puissante efficacité et l'audace créatrice de l'industrie américaine et allemande ».

E. J. Hobsbawn a fait remarquer, quant à lui, que la dépression n'a pas été assez profonde pour effrayer l'industriel britannique au point de l'obliger à des mutations fondamentales. Les méthodes traditionnelles restent encore efficaces (pour un temps) et moins coûteuses qu'une modernisation qui apparaît risquée. L'économie britannique se désintéresse de l'industrie au profit du commerce et de la finance, domaine où ses services renforcent ses concurrents réels ou potentiels mais procurent des profits très satisfaisants. Ainsi voit-on l'industrie cotonnière (qui avait été le fer de lance de la première révolution industrielle) quitter l'Europe et l'Amérique du Nord pour l'Asie et l'Afrique.

Il faut toutefois bien souligner qu'en Angleterre (et si les statistiques sont fiables), la croissance de la productivité, issue de la révolution industrielle, fut assez stable et plutôt moyenne (1,4 % par an de 1820 à 1890) ; les États-Unis firent mieux, mais sous leur leadership. On a le sentiment que le Royaume-Uni n'a pas poussé son effort d'investissement, et c'est peut-être la raison majeure pour laquelle il ne fit pas reculer aussi vite la frontière technologique. Surévaluation de la livre, exportations nettes de capitaux massives, émigration sur une plus grande échelle que dans aucun autre pays européen, autant d'éléments qui précipitèrent le déclin « relatif » de l'Angleterre et la perte de son leadership par rapport aux États-Unis.

II - ÉTATS-UNIS, ALLEMAGNE, FRANCE : UNE NOUVELLE HIÉRARCHIE

Trois pays, trois trajectoires de croissance, trois systèmes productifs différents. Un pays neuf recevant une population immigrée partant à la conquête des terres de l'ouest, un pays construisant son système industriel autour du machinisme : telles sont les caractéristiques du capitalisme américain en voie d'imposer sa suprématie en fin de siècle. Un pays *a priori* un peu à la traîne, mais prenant la mesure des mutations techniques et organisationnelles de la seconde révolution industrielle et bâtissant de fortes filières industrielles (chimie, sidérurgie) : l'Allemagne peut ainsi, à la veille de la Première Guerre mondiale, rivaliser en tant que puissance industrielle avec l'Angleterre. La France enfin, au dynamisme économique entravé par des caractéristiques structurelles, a opéré une industrialisation contenue mais réelle.

A/ Un pays neuf sur la voie de la suprématie économique : les États-Unis

Les avantages potentiels des États-Unis ont été déterminants : ressources naturelles colossales (minerais et terres cultivables), exploitables grâce au développement du chemin de fer et des transports ; énorme marché interne soutenu par une population qui devient plus importante que dans aucun autre pays européen (alimentée par une immigration à grande échelle) ; taux d'investissement élevé, deux fois plus élevé qu'au Royaume-Uni. En 1890, au moment où les États-Unis accèdent au leadership, la productivité américaine est pratiquement la plus forte du monde dans l'industrie et l'agriculture. Ce leadership va perdurer grâce à un nouveau modèle de croissance.

Trois aspects dominent la vie économique du pays dans la période : la *guerre de Sécession,* un puissant *mouvement de concentration,* la récurrence de la *crise financière.*

◆ La guerre de Sécession (1860-1865)

Dans cette guerre civile s'opposent le Sud, esclavagiste, enfermé dans les structures (anciennes) d'une économie de plantation largement assise sur la monoculture d'exportation (donc hostile aux tarifs douaniers qui auraient pu gêner le développement des marchés extérieurs), et le Nord, industriel, dans une phase de démarrage et par conséquent désireux de se protéger de la concurrence anglaise, toujours vive, et de disposer d'une monnaie stable. Opposition quasi antagonique que décrit ainsi F. Mauro : « L'économie du Sud dépend du marché mondial du coton, donc et avant tout des industriels anglais puis des industriels de Nouvelle-Angleterre. Le seul moyen qu'elle a de se défendre contre eux, c'est de résister à leurs prétentions d'acheteurs en faisant appel aux banques du nord-est. D'ailleurs, entre elle et le marché mondial, un intermédiaire souvent s'interpose, le marchand du nord-est qui, avec l'industriel anglais ou américain et le commerçant anglais, tire tous les profits de l'économie cotonnière : le Sud se sent donc dominé, exploité, colonisé par l'alliance de la Vieille et de la Nouvelle-Angleterre » (*Histoire de l'économie mondiale 1790-1970*, Sirey, 1971).

Le Nord, plus peuplé, l'emporta. Il put organiser le blocus des onze États qui avaient fait sécession, et qui se trouvèrent progressivement asphyxiés. Des branches industrielles entières du Nord virent leur activité progresser, soutenues qu'elles étaient par les commandes de l'armée ; certaines entreprises devinrent même florissantes. Toutefois, la gestion laxiste de l'État en matière de financement de la guerre déboucha sur l'inflation des *greenbacks* (billets de banque) qui réduisit le pouvoir d'achat des salariés.

La guerre a, s'agissant du Nord, fortement accompagné l'industrialisation, également stimulée par un vaste mouvement de concentration. S'agissant du Sud, la défaite et la désorganisation économique marquèrent la fin du vieux système d'économie de plantation et débouchèrent sur l'affranchissement des Noirs. Les États du Sud formèrent alors une zone de pauvreté.

◆ Un puissant mouvement de concentration

La concentration américaine, plus forte qu'ailleurs, avait commencé dès 1860 avec les sociétés anonymes. Dès cette date débute l'ère du capitalisme financier. Ainsi naissent les *pools* (regroupements), que l'on peut assimiler aux cartels (partage d'un marché entre de très grandes entreprises), les *holdings*, les *trusts*. Cette concentration productive se réalise par fusion *(merger)* ou par association *(community of interest)*. A la fin du XIXᵉ siècle, outre les progrès techniques qui ont permis aux sociétés américaines de s'agrandir, des facteurs liés à l'organisation des entreprises rendent compte de progrès décisifs dans l'efficacité de la production. C'est à cette époque que les grandes firmes tentèrent de s'intégrer verticalement vers l'amont ; placées dans une situation où elles ne trouvaient pas pour leurs matières premières de marchés concurrentiels ou suffisamment organisés, elles choisirent souvent de produire leurs propres matières de base et se chargèrent, en grande partie, de leur transport. Cette intégration des opérations complexes toucha la sidérurgie et l'industrie pétrolière. Le même mouvement gagna le stade de la distribution ; les entreprises industrielles possédaient une échelle suffisante pour prendre en charge la distribution des produits sans passer par des négociants.

Alors qu'en Angleterre le marché financier de Londres était florissant, l'organisation d'un marché des capitaux efficace prit du retard sur le continent américain. On a proposé l'explication suivante : la grande majorité des entreprises industrielles du XIXe siècle étaient d'une taille financière trop limitée pour offrir un volume de transactions à un marché boursier. Il fallait des entreprises d'une certaine dimension. On dispose ainsi d'une explication à la vague de fusions qu'enregistra l'industrie américaine. Ce sont les titres émis par les trusts qui, dans les dernières années du XIXe siècle, alimentèrent le marché de New York. C'est dans ce contexte que vit le jour la fameuse *loi Sherman* (1890) sur la répression des ententes ou collusions entre concurrents. Véritablement efficace dans les dernières années du siècle, elle incitait les firmes à fusionner. Finalement, dans la dépression des années 1893-1897, ouverte par une panique boursière, une véritable mutation financière permit le rassemblement d'une grande partie de l'industrie américaine dans les sociétés cotées en bourse et dont le capital ne fut pas dispersé sur un large public.

◆ La récurrence des crises financières et la persistance de problèmes monétaires jusqu'en 1913

On distingue deux catégories de monnaie permettant d'établir quelques comparaisons entre époques – encore qu'il faille mener ces dernières avec précaution :

— M1 désigne les pièces et billets de banque en circulation (monnaies dites « manuelles ») et les différentes formes de monnaie scripturale (souvent évaluées par le chiffre des dépôts que rassemblent les banques).

— M2, qui inclut M1, comprend en outre l'ensemble des actifs financiers qui ne sont pas à proprement parler des moyens de paiement mais qui ont la propriété d'être rapidement mobilisables (certains dépôts ou bons) et que l'on a parfois appelés des « quasi-monnaies ».

Aux États-Unis, les monnaies manuelles n'ont pratiquement pas augmenté de 1867 à 1878, et elles se sont accrues au rythme annuel de 2 % jusqu'en 1897. En revanche, M2 a crû de façon très spectaculaire : la monnaie scripturale a sans doute comblé l'insuffisance des moyens de paiement manuels. Il n'en demeure pas moins que le pays connaît des crises financières récurrentes, en grande partie liées à la faiblesse de l'intervention économique de l'État fédéral. Outre la menace de pénurie de moyens de paiement, partiellement contournée par la progression de la monnaie scripturale, l'absence d'une banque centrale émettant les billets pour le compte de l'État se fait cruellement sentir. En 1913, une loi se propose de réformer le système monétaire : l'unification de ce dernier passera par le retrait progressif des billets fédéraux et des billets émis par les banques d'État ou les banques privées, une monnaie unique étant désormais émise par le *Federal Reserve System*. Garantie par l'État fédéral, cette monnaie sera mise dans les circuits monétaires par douze banques fédérales de réserve.

B/ L'Allemagne, une véritable puissance industrielle

Si les États-Unis vont bientôt supplanter l'Angleterre comme puissance économique, la suprématie industrielle va passer, vers 1900, de l'Angleterre à l'Allemagne, cette dernière marquant sa supériorité dans les branches nouvelles de l'industrie : la chimie (vers 1880) puis l'outillage électrique (vers 1890).

Cette observation mérite d'être relativisée : l'économie allemande se trouve être tout à fait dualiste. L'expansion a laissé à la traîne d'importants secteurs de l'économie, des secteurs ont conservé des méthodes de fabrication archaïques (comme la fabrication à domicile). Ce fut également le cas du Japon et de la France. Ce qui apparaît déterminant dans ce changement, c'est qu'avec les branches industrielles motrices, comme la chimie ou la construction électrique, la qualification, les compétences des ouvriers et techniciens deviennent déterminantes. De ce point de vue, D. Landes a pu écrire : « Comme l'outillage était coûteux, il revenait de plus en plus cher de former des travailleurs sur le tas : voilà qui concourt à démolir un système d'apprentissage depuis longtemps moribond. Enfin, la technique et la technologie avaient changé de contenu scientifique, ce qui obligeait les employés, et même les ouvriers, à se familiariser avec les concepts nouveaux, et rehaussait énormément la valeur du personnel entraîné à se tenir au courant des nouveautés scientifiques, à en apprécier l'importance économique et à l'adapter aux exigences de la production » (*L'Europe technicienne*, trad. fr., Gallimard).

◆ **Le processus qui généra la puissance industrielle : sidérurgie et chimie**

L'Allemagne construit, après 1870, une industrie puissante sur la base d'une matière première stratégique : le charbon. Si l'on y ajoute le lignite, dont le pays est également producteur, on aura une vision plus juste du potentiel énergétique de cette nation.

La sidérurgie dispose ainsi de bases solides. Les complexes mines-centres sidérurgiques sont aux mains de grandes entreprises dont la plus symbolique reste Krupp. Cette dotation naturelle en charbon permet également l'édification d'une chimie lourde : acide sulfurique, engrais, explosifs. L'Allemagne produit les trois quarts de la production mondiale de teintures minérales. Cette industrie est déjà fortement concentrée.

L'ensemble de l'industrie connaît un véritable miracle économique. Elle vit et se développe sur la base d'un schéma d'exportation. La conquête des débouchés extérieurs est systématique : politique de recherche de marchés quasi scientifique, notamment pour le traitement des informations, démarchage rigoureux, politique commerciale ordonnée, « infiltration » par création d'entreprises filiales des pays étrangers tentés par le protectionnisme, création de « maisons de l'exportation ». Pour ce qui est des transports, l'Allemagne dispose d'une logistique adaptée : chemins de fer, voies navigables, et surtout marine marchande en profond renouvellement (l'Allemagne se lance la première dans la construction de grands paquebots). L'exportation est encouragée par des pratiques comme la cartellisation et le *dumping* (qui consiste à vendre sur les marchés étrangers à des prix inférieurs aux prix domestiques, voire parfois aux coûts de production internes) de façon systématique et générale. L'État a de son côté soutenu ces pratiques : il a appuyé les cartels, approuvé le *dumping*, pratiqué le protectionnisme douanier.

◆ Deux aspects du système allemand

● *Un système financier*

D'abord, le système allemand révèle une figure particulièrement dynamique du capitalisme financier. C'est lui qui entretient la forte croissance industrielle. Les Allemands avaient compris la nécessité de créer des institutions visant à mobiliser les capitaux, d'où la mise sur pied de banques d'investissements par actions collaborant étroitement avec les entreprises industrielles performantes.

Non seulement les banques financèrent le développement industriel, mais elles suscitèrent les possibilités de réorganisation par intégration verticale et horizontale. De plus, la création de cartels entre les industriels visait à éviter la surproduction. Un des premiers cartels fut celui du charbon dans la région Rhin-Westphalie. Cette forme d'organisation des relations industrielles et de la concurrence (moins risquée) se diffusa rapidement. En 1905, une enquête dénombrait 400 cartels (dont 19 dans l'industrie du charbon, 62 dans la sidérurgie, 46 dans la chimie); ainsi, dans la chimie des colorants synthétiques, les trois grandes firmes, Badishe, Bayer, AGFA, conclurent en 1904 une entente visant à coordonner leurs politiques de vente, de fabrication et de recherche.

● *Un appareil de formation*

Un second aspect de la réussite allemande réside dans le soin mis à bâtir un *appareil de formation* générale et technique très efficient, à l'opposé de l'Angleterre où cet aspect semble quelque peu secondaire et donc délaissé. Les États allemands *(Länder)* financent des écoles, des institutions techniques, s'occupant des bâtiments, des laboratoires, rémunérant le personnel enseignant. Bref, on construit un système efficace de formation scientifique et technique. A l'opposé du cas anglais, on voit naître en Allemagne un culte de la « *Wissenschaft* » (science) et de la « *Tecknik* ». Ce système d'éducation prépare la formidable industrialisation du pays. D'où le paradoxe remarqué par D. Landes : l'Angleterre libérale dut progressivement se départir de son sens de l'égalité et de la mobilité; l'Allemagne, plus autoritaire, hiérarchique, édifia peu à peu une société plus ouverte *via* l'instruction et la formation (sans changer pour autant sa structure politique). En 1901, il y a dans l'industrie chimique allemande (dont J. von Liebig fut le grand savant) quatre fois plus de diplômés de l'Université que dans l'industrie chimique britannique.

C/ La France : une croissance contenue

La croissance de l'industrie française a été faible et, encore que cela soit contesté, inférieure à la croissance anglaise – ce fait constituant l'argument le plus fort en faveur de la thèse du retard français. En réalité, une analyse plus fine laisse apercevoir quelques traits spécifiques au capitalisme français.

◆ Un modèle d'industrialisation dualiste

En France, le marché des articles industriels a été lent à créer. Les Anglais utilisent des procédés de fabrication déjà largement mécanisés, susceptibles de produire à grande échelle, ce que facilite une main d'œuvre habituée à travailler en fabrique. La fabrication de type artisanal reste dominante en France et fondée sur des « tours de main ». De ce fait, le *« factory system »* a pu s'implanter très tôt outre-Manche, et explique l'avance anglaise dans les secteurs décisifs : fer, acier, produits de base, cotonnades.

F. Caron a montré que la croissance française plus rapide vers 1890 a été rendue possible, au moins dans le textile, par l'extension de l'article *de qualité moyenne*. Les qualités extrêmes (le produit de luxe et le produit bas de gamme, à la qualité douteuse) ne disparaissent pas pour autant : elles sortent des fabriques ou des manufactures utilisant une forte proportion de main d'œuvre, car il existe un marché pour elles : la bourgeoisie, grande et moyenne, préfère la qualité de luxe à la quantité du « banalisé » ; les masses rurales aux faibles revenus monétaires acceptent les produits bas de gamme issus des petites usines locales.

On comprend pourquoi l'industrie française a pu reposer longtemps sur une structure industrielle dualiste ou, plus exactement, pourquoi le dualisme y a été si solide jusque dans les premières années du XXe siècle : les petites firmes côtoient les grandes entreprises.

M. Lévy-Leboyer a souligné que « le rôle croissant des technologies complexes et l'élargissement des marchés, surtout après les années 1890, ont eu deux résultats. Favoriser dans les secteurs modernes le développement de très grandes entreprises, qui étaient capables de fournir par quantité massive des produits standardisés, et qui ont cherché à diversifier leurs produits ou à contrôler des fractions significatives du marché. Et maintenir côte à côte un système décentralisé de petites et moyennes entreprises, se spécialisant dans les produits à l'unité. »

◆ Classes et structures sociales : le cas français

Au cours du XIXe siècle, les classes possédantes ont changé : la *bourgeoisie industrielle* supplante l'aristocratie bancaire et devient leader sous le Second Empire (c'est encore à partir de cette date que le capitalisme devient dominant, tardivement, comme l'a écrit H. Sée). Elle tisse son pouvoir par des liens familiaux et reproduit le capital productif par l'agrandissement de son patrimoine. On tient ainsi les facteurs expliquant la lente progression du capitalisme dans les structures économiques ; pesanteur repérable notamment par une salarisation beaucoup plus faible qu'en Angleterre ou en Allemagne. De plus, et de concert avec l'ancienne aristocratie bancaire, elle interdit l'épanouissement des formes financières du capital, ou les contrôle lorsqu'elles restent symboliques. On est alors à même de lui attribuer la faiblesse de l'organisation des sociétés par actions, comme la monétarisation retardée de l'économie française ; à l'opposé, le système bancaire anglais s'avère des plus développés, l'usage du crédit, supérieur, la collecte de l'épargne, efficace jusque dans les campagnes (les ruraux restant en France très attachés aux procédés de drainage notariaux). Un élément clé dans le développement économique du capitalisme français est la lourde présence de l'agriculture. A son propos, les projets des classes dominantes apparaissent clairs : maintenir un large secteur à la production agricole. On trouve sa forme extrême dans l'idéologie de Méline, ardent artisan du protectionnisme dans les années 1980 : tout mettre en œuvre pour retenir à la terre l'agriculteur, et faire tout ce qui est possible pour favoriser l'« exode urbain » et inciter les ouvriers à travailler dans les campagnes. Le statut de l'agriculture et de la paysannerie rend intelligible le modèle français d'industrialisation, plus rural qu'urbain, ainsi que le lent dépassement du dualisme entre le travail à domicile et le travail en fabrique.

◆ L'hypothèse d'un régime malthusien d'accumulation (C. Le Bas)

En France, durant tout le XIXe siècle (et principalement dans sa seconde moitié), on voit se renforcer le capitalisme de type familial, les principales entreprises industrielles gardent une structure juridique et économico-financière héritée du début du siècle : celle de sociétés privées familiales. La centralisation des capitaux destinés à l'investissement productif est liée à l'accroissement du patrimoine des grandes familles industrielles et reste limitée par lui (d'où la faible concentration productive, y compris des forces de travail). L'accumulation y est faiblement intensive, la constitution d'ententes et de cartels devient alors la pente naturelle, et l'on préfère le partage du monopole à la stratégie de concurrence. J. Méline résume bien cette vision de la concurrence dans la formule : « L'entente raisonnée vaut mieux que la guerre impitoyable. »

Ce malthusianisme au niveau du taux d'investissement est conforté par deux éléments :

— En premier lieu, le pays ne dispose pas d'un charbon de bonne qualité et bon marché. R. Cameron a souligné que cela accroît le prix des matières premières industrielles et a freiné, dans la première moitié du XIXᵉ siècle, l'utilisation des techniques modernes dans l'industrie sidérurgique et l'utilisation des machines à vapeur dans l'industrie textile. Ce fait semble être un facteur de ralentissement de la croissance de l'industrie, même si son impact sur la productivité et la rentabilité a été surestimé.

— En second lieu, le poids d'une agriculture largement précapitaliste et faiblement productive a pu freiner la dynamique à long terme de l'économie française. Bien que les études restent controversées sur ce point, on peut globalement accepter le schéma de J. Bouvier. L'économie française aurait fonctionné avec deux moteurs également faibles, et, qui plus est, la faiblesse de l'un confortant celle de l'autre : le maintien de l'agriculture française aurait ralenti l'accumulation, de même les « comportements » des capitalistes, plus rentiers qu'industrieux, auraient favorisé la pérennité du premier phénomène. Ces faiblesses sont sans nul doute aggravées par le comportement des Français devant l'épargne et les placements. Une partie de l'épargne mobilière est constituée de titres étrangers : les placements étrangers atteindront un tiers de cette forme d'épargne en 1910. L'importance des placements à l'extérieur a sans doute eu un effet dépressif sur l'investissement interne.

III - L'ÉLARGISSEMENT DU CERCLE DES NATIONS INDUSTRIELLES

De nouveaux pays accèdent au commencement de l'ère industrielle, par des voies propres : la Russie, le Japon (futures très grandes puissances), mais aussi le Canada, la Suède (il faudrait encore ajouter des pays comme l'Italie ou l'Empire austro-hongrois).

A/ Le demi-réveil de la Russie

L'industrialisation de la Russie présente plusieurs traits spécifiques : alors que l'économie reste largement agricole, l'industrie se développe en deux phases successives, sous des formes concentrées, sous la double impulsion de l'État (qui constitue à travers ses commandes un client déterminant) et des capitaux extérieurs (pratiquement dominants). Processus d'industrialisation qui n'affecte que certaines régions et qui se révèle finalement incomplet : le pays n'a pas d'industrie chimique. S'agirait-il d'une industrialisation sans *take-off* ?

◆ La réforme agraire et ses conséquences

La réforme agraire promue en 1861, déclarant l'*abolition du servage*, devait constituer une réelle rupture dans la vie agricole.

Le nouveau système s'apparente à celui du *fermage* : moyennant le versement d'un loyer, le paysan peut avoir une parcelle de terre en concession, voire l'acheter. Toutefois, la réforme aboutit à une situation contrastée : le paysan possède en général des parcelles trop petites ; c'est ainsi que va se constituer une classe de paysans sans terre, à côté de paysans fermiers et de paysans semi-salariés. La propriété noble régresse : afin de faire face à ses besoins de consommation, une partie de la noblesse entreprend de vendre ses terres, qui vont être rachetées par la bourgeoisie des villes. Progressivement se forme un clan de paysans enrichis (pas toujours propriétaires) : les *koulaks*.

◆ Le développement industriel jusqu'en 1890

Pour ce qui est de l'industrialisation, on retrouve très grossièrement les mêmes formes qu'en Europe occidentale, avec des retards, des hésitations, des erreurs... Les structures sociales propres à la Russie et sa géographie particulière rendent compte des formes d'émergence du capitalisme industriel. S'agissant des branches motrices, la carte de l'industrie est occupée par la *métallurgie*, qui va connaître après 1850 pratiquement quarante années de développement : la production est multipliée par 100, les effectifs par 30.

L'*industrie du coton* connaît également une croissance importante, mais moins remarquable dans son rythme. L'industrie du papier et du cuir constitue également un foyer d'industrialisation. La localisation des industries dépend des facteurs classiques : proximité des matières premières (ainsi, la métallurgie mécanique s'est implantée en Sibérie, Oural, Donetz), proximité des grands centres de consommation (Saint-Pétersbourg avec ses chantiers navals, la manufacture de papier Newski, les fabriques de cuir). Les historiens ont souligné que la croissance industrielle est toutefois insuffisante, eu égard au niveau et à la progression de la consommation intérieure. L'offre de produits industriels semble freinée par l'insuffisance de la production de houille, qui se répercute sur les branches situées en aval. On a mis en avant la modicité de la demande de crédit étranger et l'incohérence de la politique du pouvoir tsariste, notamment en matières de tarifs extérieurs. A la fin de la période, l'option protectionniste est clairement affirmée, ce qui reste le moyen le plus commode de protéger une industrie jeune (selon les vieux conseils de l'économiste allemand List). Witte, au pouvoir, sut organiser les entrées de capitaux à long terme (notamment français). Le pays s'apprête ainsi à entrer dans une seconde phase d'industrialisation.

◆ Une nouvelle impulsion industrielle : 1890-1914

L'entrée de capitaux étrangers va en partie lever les contraintes de financement des investissements. On assiste à un *boom ferroviaire* : les voies passent de 30 000 à 60 000 km de 1894 à 1905. L'industrie métallurgique suit les progrès des techniques qui, ajoutés à la rationalisation de l'organisation, permettent d'accroître la productivité (il est vrai qu'en général les techniques sont importées). Ainsi, en quelques endroits, on voit naître des formes tout à fait modernes de capital financier, combinant une structuration nouvelle des techniques de production et des formes inédites de mobilisation du capital. Les centres industriels traditionnels connaissent une nouvelle phase de croissance ; Saint-Pétersbourg en particulier devient un important foyer industriel, qui rassemble le quart des ouvriers métallurgistes. Des régions jusqu'alors plutôt à dominante agricole accèdent à un régime économique industriel. Ainsi, le Donetz, qui possède du charbon et du fer, va être le principal fournisseur du secteur ferroviaire, géré dans la grande majorité par l'État russe. Les grandes entreprises déjà concentrées sont à capitaux européens.

Cette phase de croissance va s'achever en deux temps : d'abord, par une crise cyclique dans les années 1901-1902, puis par une crise longue après 1905. D'où l'intensité du mouvement social. La Russie entre dans une période pré-révolutionnaire.

B/ Le Japon : l'État au service du processus d'industrialisation

L'économie japonaise possédait une longue tradition d'interventionnisme étatique. Sous le régime shogounal (qui s'effondre en 1868), le Shogun contrôlait l'ensemble de la vie économique, répartissant le travail et fixant le niveau de la consommation. Ainsi, l'État japonais a été préparé à jouer un rôle important dans l'industrialisation du pays sous l'*ère Meiji*. Il n'est pas exagéré de dire que, dans le dernier quart du XIXe siècle, l'État va promouvoir un système financier solide et les prémices d'une structure industrielle forte. Au cours des années 1870, l'État avait construit des filatures de coton, acheté des machines européennes... et initialisé un processus qui allait conduire ce secteur à concurrencer (grâce aux faibles coûts salariaux) la puissante industrie anglaise. En 1880, un rapide bilan faisait apparaître que le secteur industriel étatique se composait de 3 chantiers navals, 5 usines de munitions, 10 mines, 52 usines diverses, en plus des structures ferroviaires.

Vint ensuite une période de privatisation, l'État désirant avant tout assurer la croissance du secteur privé : il rétrocéda à des personnes privées (bien souvent des nobles) les entreprises industrielles nouvelles. Cette politique eut des résultats mitigés, car beaucoup d'entreprises n'avaient pas une situation financière saine. La forte croissance économique jusqu'à la fin de l'ère Meiji (en 1912) ne lui permet pas toutefois de rejoindre les standards européens. Outre l'assistance technique, l'État apporte à l'industrie privée une énorme capacité de financement. Il gère en effet une chaîne d'intermédiation entre l'agriculture et l'industrie. La première, restée très traditionnelle, s'avère remarquablement efficace : la productivité du travail s'est accrue de 2,6 % par an entre 1878 et 1917, le rendement du sol, de 80 %, cette fois sur toute la période. L'amélioration patiente des méthodes d'irrigation et de culture, combinée au travail intensif d'une importante main d'œuvre rurale, autorise une forte production. Compte tenu de la faible propension à consommer du secteur agricole, il se dégage dans ce secteur un important surplus (épargne), ponctionné par l'État grâce à l'impôt foncier (1873) et dirigé vers les autres secteurs économiques. La pression fiscale sur l'agriculture est si forte qu'elle assure la moitié des revenus de l'État à la fin du siècle.

C/ L'industrialisation : de nouveaux pays accèdent au modèle industriel

◆ Le *take-off* suédois

D'après W. W. Rostow, le *take-off* suédois est inséparable de la seconde révolution industrielle et commence vers 1870. Comme la Russie (mais la ressemblance s'arrête là), le pays va recevoir d'énormes masses de capitaux étrangers. L'économie suédoise va s'ouvrir fortement à l'économie industrielle mondiale et exporter ses ressources comme si se trouvait vérifié le schéma de commerce international de l'économiste suédois Ohlin (le pays exporte le facteur pour lequel il est relativement le plus doté). Deux grandes ressources naturelles assurent la trajectoire de croissance du pays :

— le *minerai de fer*, que le pays transforme pour obtenir des produits de grande qualité, importés par beaucoup de pays européens. La révolution des procédés sur le continent (initialisée par les découvertes de Bessemer) et le développement des sidérurgies européennes ne détruisent pas, au contraire, le tissu industriel du pays. La métallurgie suédoise tente d'occuper le créneau des produits de grande qualité ;

— la *forêt*, qui constitue une ressource considérable, d'autant plus que se diffusent les perfectionnements techniques, aussi bien en amont (avec la scie à vapeur) qu'en aval (avec le traitement chimique de la pulpe de bois) de la filière bois. Dans un pays qui était presque totalement agricole en 1870 (l'agriculture accaparait alors les trois quarts de la population active), les bouleversements économiques forcent l'avènement d'un secteur industriel : à la veille de la Première Guerre mondiale, moins de 50 % de la population active travaille encore dans l'agriculture.

◆ Le modèle de croissance d'un pays neuf : le Canada

En 1867, une confédération voit le jour sur un vaste territoire correspondant aujourd'hui à celui du Québec, de l'Ontario, de la Nouvelle-Écosse, du Nouveau-Brunswick, soit une nation de 3,5 millions de personnes. Ce pays va connaître une période de poussée démographique due à l'immigration comme à l'accroissement naturel. Le phénomène migratoire, au Canada, est très particulier, car si des immigrants entrent dans ce pays, dans le même temps on enregistre un flux migratoire positif en faveur des États-Unis – ce dernier, non négligeable, laisse tout de même un solde migratoire bilatéral positif au Canada. Au cours de la même période, la population active s'accroît elle aussi considérablement. Bien entendu, l'immigration est « stimulée » par le développement industriel et agricole. S'agissant des ressources naturelles, le Canada apparaît très bien placé. Toutefois, par rapport aux États-Unis, pays le plus immédiatement comparable, la surface utile est moins vaste, les configurations climatologiques moins favorables, la population s'étire d'est en ouest. Pour les ressources naturelles industrielles, les contraintes sont plus fortes, comme F. Mauro l'a signalé. Si les ressources naturelles sont abondantes, leur exploitation demande de gros investissements, une main d'œuvre très qualifiée, d'importantes infrastructures (chemins de fer et autres systèmes de transport). Et cela plus vers le nord du pays que vers l'ouest. Qui plus est, seules des découvertes scientifiques ou technologiques permettaient de les mettre en valeur (l'énergie hydroélectrique, l'industrie de la pâte à papier...). Toutefois, la principale limite de l'exploitation rationnelle et à grande échelle de ces ressources gigantesques était l'étroitesse du marché intérieur canadien. L'exportation vers les marchés extérieurs devint une nécessité, principalement après la Première Guerre mondiale pour le papier et les métaux non ferreux – pour deux autres ressources, le gaz et le pétrole, les débouchés intérieurs apparaissaient suffisants.

Ainsi se dégage pour ce pays une dynamique de croissance « tirée » par l'exportation. A. Siegfried l'a décrit à partir d'un schéma triangulaire des courants d'échanges Canada-Angleterre-États-Unis. Le Canada vend à l'Angleterre des matières premières (blé, bois) dont, comme les États-Unis, il regorge. Le solde positif de la balance commerciale avec l'Angleterre libère des devises permettant l'achat de produits industriels aux États-Unis.

TROISIÈME PARTIE

Les guerres et les crises
de la première moitié du XXᵉ siècle

───

Du point de vue du calendrier, le XXᵉ siècle a commencé le 1ᵉʳ janvier 1901. Du point de vue des historiens, le XIXᵉ siècle se prolonge pourtant jusqu'en 1914. Ainsi, René Rémond parle du « Grand XIXᵉ siècle » pour désigner la période qui s'échelonne de la fin des guerres napoléoniennes au début de la Première Guerre mondiale. Dans cette perspective, août 1914 marque de façon singulière le début du XXᵉ siècle en le faisant commencer par une guerre. Cette vision dramatique se fonde sur quelques évidences : de 1914 à 1945, en un peu plus d'une génération, se sont déroulées deux guerres et une crise économique mondiales. Or, toutes ces perturbations ont conduit à une polarisation du monde autour des blocs qui vont se constituer au sortir de la Seconde Guerre mondiale. C'est pourquoi certains journalistes ont avancé l'idée que le XXᵉ siècle s'était achevé avec la chute du Mur de Berlin le 9 novembre 1989.

Si l'on retient ce point de vue, bien qu'il ne puisse être encore validé par le recul de l'historien, le XXᵉ siècle n'a duré que 75 ans (1914-1989), et il se divise aisément en deux phases très contrastées, la première marquée par les guerres et les crises, la seconde, caractérisée par une croissance économique durable. Le volume 2 s'intéressant à ce « second XXᵉ siècle », c'est au « premier XXᵉ siècle » que nous allons consacrer les trois derniers chapitres de cet ouvrage. Dans un premier temps, nous allons montrer que les perturbations et les innovations économiques de la Grande Guerre ont eu des répercussions fondamentales pour les vaincus comme pour les vainqueurs, pour les économies capitalistes comme pour le socialisme naissant en URSS. Nous verrons ensuite que les crises des années 30 ont constitué un choc au moins aussi important que la guerre, obligeant à repenser le rôle économique de l'État. Enfin, nous tenterons une réflexion d'ensemble sur les relations entre la croissance économique et les rapports de forces qui peuvent s'instaurer à l'intérieur des nations comme entre elles.

– 6 –

De l'économie de guerre à l'économie planifiée

En 1916, un révolutionnaire russe banni publie en Suisse un court ouvrage : *L'impérialisme, stade suprême du capitalisme.* S'inspirant des études menées par l'Allemand Rudolf Hilferding sur le développement du capitalisme financier, V. I. Oulianov, l'auteur, y présente la Première Guerre mondiale comme le fruit non pas du nationalisme, mais du capitalisme. Il n'est donc pas surprenant que le même individu, plus connu sous le nom de Lénine, n'ait pas hésité l'année suivante à profiter des troubles issus de la guerre pour prendre le pouvoir en Russie. Car si la guerre marque la fin d'une époque, comme nous allons le voir dans une première partie, elle incite à ouvrir une nouvelle page de l'histoire. Nous présenterons donc dans une deuxième partie les premiers pas du socialisme. Ceux-ci sont suivis avec d'autant plus d'attention par les contemporains que, dans le même temps, les économies capitalistes traversent d'évidentes difficultés (troisième partie).

I - LA GRANDE GUERRE : UN DÉFI ÉCONOMIQUE

Si 1914 marque la fin de la « Paix de cent ans », selon la formule de Karl Polanyi, c'est que la mobilisation économique remettra en cause l'ensemble des règles du jeu qui avaient prévalu auparavant. De cette perturbation vont émerger des idées et des perspectives nouvelles, tant dans le domaine politique qu'économique. C'est en cela que l'on peut affirmer que cette guerre a été la matrice du XXᵉ siècle et qu'à ce titre il ne faut pas l'ignorer.

A/ La rupture de l'ordre économique libéral

Les premières manifestations économiques de la guerre sont monétaires et financières. D'une part, au nom du patriotisme, on invite les porteurs de pièces en or à venir les échanger contre des billets de même valeur, d'autre part, les marchés financiers réagissent négativement à l'annonce du conflit. A l'évidence, ils avaient mieux anticipé les événements que les particuliers, qui verront la valeur de leurs billets s'effriter considérablement en quelques années.

◆ Contraintes financières et abondance monétaire

Depuis la création du franc germinal en 1803, la monnaie française avait conservé la même valeur-or : 1 franc = 0,3225 grammes d'or fin à $^9/_{10}$e. Dès que l'on se rendit compte que la guerre allait durer au-delà d'un été, ce pilier de l'ordre libéral propre au grand XIXe siècle allait s'effondrer. La valeur-or de la monnaie était en effet garantie par un contrôle strict de l'émission de billets par la Banque de France. Cette attitude prudente allait disparaître face aux contraintes de la mobilisation économique. La logique politique et militaire prenant le pas sur les principes de gestion, l'État n'hésita pas à recourir à la « planche à billets » pour financer ses dépenses civiles et militaires. Aussi, dès le début de 1915, la convertibilité-or du franc fut suspendue et la quantité de monnaie en circulation fut multipliée par 5 entre 1914 et 1918.

Le principal facteur de cette dérive était le *déficit du budget de l'État,* qui s'éleva à des niveaux extravagants. En 1917, les recettes couvraient moins de 20 % des dépenses ! Le même phénomène se manifesta chez tous les belligérants, dans des proportions variables, moindres en Grande-Bretagne, supérieures en Allemagne où l'émission de billets allait être décentralisée et transférée aux collectivités locales. Cet expédient lourd de menaces fut adopté devant le poids des contraintes financières. Car si les Alliés purent dès 1915 faire appel au marché financier américain pour subvenir à leurs besoins, les puissances centrales, isolées par un véritable blocus financier, ne purent compter que sur leurs propres forces.

◆ L'abandon de la régulation marchande

Le recours à des méthodes administrées de gestion de l'économie s'est progressivement imposé pour tous les pays. Le libre jeu du marché et les variations de prix propres à orienter la production des divers biens et services ne convenaient pas face à la double contrainte des pénuries d'une part, et des priorités militaires d'autre part. Mais la rupture avec la régulation par les marchés fut plus radicale en Allemagne, où les contraintes étaient plus fortes et la tradition libérale, moins ancrée.

• *En Grande-Bretagne*

En Grande-Bretagne, la mobilisation économique prit la forme d'une quasi-garantie de prix accordée aux producteurs de certains produits stratégiques. Les prix du charbon par exemple furent taxés, c'est-à-dire fixés par l'administration. Une procédure de péréquation fut même mise en place entre les exploitations les plus productives et les autres. Dans les principales branches industrielles, des commissions de concertation rassemblaient les responsables patronaux et syndicaux pour prévenir tout conflit social et répondre en commun aux exigences de la production de guerre.

En matière d'échanges internationaux, les pays fournisseurs de matières premières comme l'Australie ou la Nouvelle-Zélande étaient invités à livrer aux Alliés tout ce qu'ils pouvaient produire en échange d'une garantie de maintien des prix au niveau moyen de 1913. Ainsi, malgré une stagnation de la production et l'aide accordée à la France dont la production industrielle baissa de 40 %, les pénuries ne prirent pas des allures tragiques du côté des Alliés. Ceux-ci bénéficièrent également d'un soutien puissant des États-Unis, qui accrurent de 40 % leur production pendant le conflit.

• *En Allemagne*

En Allemagne, la situation fut beaucoup plus dramatique car alors que la production diminuait dans les mêmes proportions qu'en France, le recours à des approvisionnements extérieurs fut quasiment nul. C'est largement ce qui explique les difficultés militaires de l'année 1918 : les victoires obtenues sur le terrain au printemps 1918 (le front français est enfoncé de plusieurs dizaines de kilomètres en Champagne) ne purent se concrétiser faute de moyens matériels. Il est évident qu'en dernière instance, c'est la puissance économique qui a décidé de l'issue de cette guerre. En témoigne l'échec de la guerre sous-marine menée par les Allemands, qui ne réussirent pas à couler autant de navires que les Américains parvenaient à en produire.

Il n'est cependant pas inutile de s'intéresser aux méthodes utilisées par l'Allemagne pour rivaliser avec l'ensemble de l'appareil de production anglo-américain. L'économie administrée mise en place à cette occasion fut une expérience forte de quasi-planification de la production, dont vont s'inspirer les expériences socialistes ultérieures. Une mobilisation économique totale se concrétisa dans le contrôle systématique des prix et des quantités produites. Les prix des produits agricoles furent par exemple taxés à un niveau faible et des réquisitions furent employées. Dans l'industrie, un office des matières premières organisa l'affectation des ressources. Enfin, la main d'œuvre elle-même fut contrôlée de façon autoritaire : toute personne âgée de 17 à 60 ans dépendait pour son activité d'un bureau impérial de placement.

Quelques indicateurs des conséquences de la Première Guerre mondiale

Les pertes humaines :

• *Du côté des Alliés :* 5,2 millions de morts.
   (France : 1,3 million ; Russie : 1,7 ; Royaume-Uni : 0,7 ; Italie : 0,7 ; Serbie : 0,4 ; Roumanie : 0,3 ; États-Unis : 0,1)

• *Du côté des puissances centrales :* 3,8 millions de morts.
   (Allemagne : 2 millions ; Autriche-Hongrie : 1,5 ; Empire ottoman : 0,3 ; Bulgarie : 0,05)

L'endettement extérieur (en milliards de francs-or) :
Grande-Bretagne : 32 ; France : 33 ; Italie : 20 ; Belgique : 5 ; Allemagne : 3,7

Les parts relatives du commerce mondial des quatre plus grandes nations (en %) :

	Royaume-Uni	États-Unis	France	Allemagne
1913	39	13,5	16,5	31
Moyenne 1926-1929	33	25	17	25

B/ Un conflit de programmes

Une victoire militaire des puissances centrales aurait certainement conduit à un cours de l'Histoire fort différent de ce qui fut. Cela tient à la fois aux ambitions territoriales de l'Allemagne et à la logique économique sous-jacente au programme de constitution du « *Mitteleuropa* ».

◆ Un ensemble continental européen

Au début du mois de septembre 1914, le chancelier allemand Bethmann-Hollweg publie un projet de nouveau découpage de l'Europe après ce qui doit être la rapide victoire des puissances centrales. Le Luxembourg y sera absorbé par le Reich, et la Belgique et la France devront céder des portions importantes de territoire, y compris une façade maritime de Boulogne à Dunkerque. La Russie sera également réduite au profit d'États nouveaux (Pologne et États baltes), dévolus à une situation de dépendance par rapport au nouvel ensemble austro-allemand. Les deux empires doivent, en effet, sinon fusionner comme cela sera annoncé en 1918, du moins constituer un ensemble homogène qualifié de « *Mitteleuropa* ». Face à la logique libre-échangiste des Anglais, il s'agit de construire une union douanière à l'image du Zollverein. Cette perspective confirme l'analyse de Lénine : la guerre était, dans une certaine mesure, une façon de poursuivre par d'autres moyens la compétition économique entre deux formes rivales de capitalisme.

◆ Les arrière-pensées du traité de Versailles

Lors des discussions préparatoires à la signature du traité de Versailles, les tensions furent vives entre les Alliés. Woodrow Wilson, le président américain, proposait de ne pas dissocier libéralisme économique et libéralisme politique. Pour cela, il jugeait nécessaires la décolonisation mais aussi le maintien de l'Allemagne dans la dynamique des échanges mondiaux. La Grande-Bretagne et la France souhaitaient que cette dernière soit punie. Outre la volonté d'obtenir des réparations pour les destructions provoquées principalement sur le territoire français, on pouvait y déceler une tentative de brider un redoutable rival industriel et commercial. La France, de tradition protectionniste (cf. les lois Méline de 1892), réussit donc à s'entendre avec le Royaume-Uni, de conviction libre-échangiste. Outre les réparations, fixées au niveau astronomique de 132 milliards de marks-or, le traité de Versailles comportait ainsi de multiples clauses destinées à affaiblir la puissance commerciale de l'Allemagne. Cela concernait les droits de douane, la circulation fluviale, la protection des marques, ou, plus prosaïquement, la non-restitution des biens allemands saisis par les Alliés sur leur sol au début de la guerre. Comme les autres, cette dernière mesure ne comportait pas de réciprocité.

Si la défaite allemande de 1918 est aussi celle d'une logique protectionniste, la victoire des Alliés n'est pas celle du libre-échange. Dès les années 1900, celui-ci avait été critiqué en Grande-Bretagne même, où l'on observait avec inquiétude la montée en puissance des rivaux allemand et américain. En d'autres termes, les équilibres économiques qui avaient prévalu durant le grand XIXe siècle étaient remis en cause. Du seul point de vue économique, la Première Guerre mondiale en est la plus claire manifestation. Affrontement entre des nations, elle a conduit à un armistice militaire qui n'a pas débouché sur un nouvel ordre économique stable. La Grande-Bretagne et la France ont peut-être réussi à contenir l'Allemagne, comme on peut le voir sur les indicateurs du commerce mondial, mais ni Londres ni Paris n'ont pu retrouver leur situation antérieure. Nous le verrons en présentant les perturbations des années 20. Il n'est alors pas surprenant que le capitalisme ait vu se développer un concurrent poussant à son extrême la logique administrée qui s'était imposée durant la guerre.

II - LA MISE EN PLACE D'UNE ÉCONOMIE PLANIFIÉE EN URSS

Après trois années de guerre contre l'Allemagne, la Russie tsariste est épuisée. Les tensions sociales qui la caractérisent forment un climat propice à l'agitation politique. Après l'échec de la révolution de 1905, il fallut les troubles de la guerre pour que réussissent celles de 1917.

A/ Des révolutions de 1917 à la Nep

L'année 1917 vit se succéder deux révolutions. D'abord, le tsar dut abdiquer en mars devant les troubles suscités par les difficultés d'approvisionnement, la multiplication des grèves et les échecs militaires. Le gouvernement provisoire, où s'imposera progressivement la personnalité de Alexandre Kerensky (1881-1970), ne put faire face à l'agitation intérieure.

◆ Révolution et polarisation politique

Dans les usines comme dans l'armée, on vit se former des comités d'ouvriers et de soldats, baptisés *soviets*. Au sein de ces assemblées, un groupe politique au départ minoritaire (les bolcheviks) allait peu à peu étendre son influence par des mots d'ordre simples : la paix immédiatement, la terre aux paysans, le pouvoir aux soviets. Progressivement, ce groupe allait s'en remettre à l'analyse de Lénine considérant que le moment était venu de prendre le pouvoir par l'insurrection, ce qui fut chose faite au mois d'octobre 1917 (novembre pour le calendrier occidental).

Pour comprendre l'implacable logique d'un tel mouvement, il suffit de se reporter au témoignage d'un journaliste américain ami de Lénine, qui a raconté précisément ces *Dix jours qui ébranlèrent le monde*. Avec quelques exemples simples, John Reed a montré que face au mouvement révolutionnaire, chacun est obligé de choisir son camp. En poussant en avant les positions extrêmes, la révolution, comme la guerre, impose une bipolarisation qui interdit les positions intermédiaires. Aussi, afin d'assurer leur emprise sur l'État et pour mener à bien la guerre contre les opposants à leur ligne, les bolcheviks, s'étant constitués en un Parti communiste, éliminèrent progressivement toute opposition. Les autres factions comme les Socialistes révolutionnaires (SR) disparurent de l'histoire officielle. Face à la vague révolutionnaire, on ne peut que suivre où s'opposer. Les marins de Cronstadt en feront la triste expérience. Après avoir été un des bras armés de la révolution d'octobre, ils seront éliminés pour avoir contesté la toute-puissance du nouveau pouvoir.

◆ Victoire militaire et armistice politique

Les années 1918-1921, baptisées phase du « Communisme de guerre », ne sont donc qu'une succession de conflits armés au cours desquels l'Armée rouge, commandée par Léon Trotsky, s'impose aux dépens des opposants à la Révolution. Opposants intérieurs des armées cosaques qualifiées de « blanches », et opposants extérieurs sous la forme des quelques troupes envoyées par les pays occidentaux pour contenir l'épidémie révolutionnaire. Du point de vue économique, cette période est marquée par une pénurie aggravée qui pousse les autorités à accentuer les réquisitions. A tel point que le territoire de la nouvelle entité, appelée URSS lors de sa naissance en 1922, se retrouve dans une situation dramatique. C'est alors que Lénine décide une pause dans le processus révolutionnaire.

La période qui s'étend de 1922 à 1928 est de ce fait appelée la Nep *(Nouvelle politique économique)*. Elle fut marquée par la cohabitation d'un capitalisme d'État pour les grandes entreprises industrielles réquisitionnées dès

1918 et d'un important secteur privé dans l'artisanat et l'agriculture. Mais cette cohabitation risquait de devenir conflictuelle, ce dont les débats à l'intérieur du Parti communiste après la mort de Lénine (janvier 1924) rendent clairement compte. Ces conflits ne sont pas que des luttes personnelles entre Staline et Trotsky, ils témoignent de la logique propre aux sociétés en marche vers le communisme.

◆ **Du capitalisme au communisme : ruptures et continuités**

Le contraire du capitalisme n'est pas, comme on le croit parfois, le communisme, mais l'*ascétisme*, c'est-à-dire la maîtrise des besoins. Or, cette maîtrise des besoins n'est pas précisément l'ambition du communisme qui, outre l'égalité, veut atteindre une certaine forme d'abondance. Selon K. Marx et F. Engels, le passage de l'un à l'autre devait se faire par étapes. S'il était injuste du fait de l'exploitation du travail, le capitalisme tirait sa légitimité de sa capacité à développer les forces productives. Ce développement entrant progressivement en contradiction avec les rapports sociaux, des tensions et des crises devaient apparaître et déboucher sur une révolution. Celle-ci devait ouvrir la voie au socialisme qui combattrait les inégalités en supprimant la propriété privée. On comprend pourquoi les guerres et les crises successives du Premier XXe siècle ont, aux yeux de beaucoup, donné du crédit à ce scénario conférant à l'Histoire une finalité simple : le communisme. Défini comme la société où l'exploitation et les conflits de classe auront disparu, le communisme achevé promet à chacun de recevoir selon ses besoins.

Pour atteindre ce nouvel éden, la violence est explicitement requise pour aider à l'accouchement de l'Histoire ; cela en vertu de la dialectique. Initialement technique oratoire permettant à un rhéteur de retourner des arguments contre celui qui les avance, la dialectique devient chez Marx, à la suite de George F. Hegel, une loi de l'Histoire. Cela signifie que cette dialectique est déterministe, que l'histoire a un sens que le révolutionnaire révèle. Mais comme on a pu le constater, la violence ne disparaît pas après la victoire car il faut faire accepter aux populations la ligne nouvelle. On qualifie aujourd'hui cette logique de totalitaire, en ce sens que la dictature du prolétariat est d'abord une dictature du parti. Celui-ci tient le rôle incontournable de celui qui doit fixer les priorités économiques et sociales, mais aussi le « moment dialectique » où il faut approfondir la contradiction afin de faciliter le passage au stade suivant de l'Histoire. Cela explique pourquoi la définition de la « ligne » suivie par le parti devient, dans une société socialiste, le seul lieu possible de conflit. L'émergence et l'affirmation du pouvoir de Staline en constituent une illustration tragique.

B/ L'émergence du « modèle stalinien »

Le meilleur moyen de mettre fin aux inégalités tout en restant dans le sens de l'Histoire, c'est de promouvoir la croissance économique qui autorise une meilleure satisfaction des besoins. Mais comme l'a montré la mobilisation économique pratiquée pendant la Première Guerre mondiale, cela va se faire en substituant à la logique du marché celle de la planification. En outre, la volonté de rupture avec le capitalisme conduit à la quasi-disparition de la propriété privée des moyens de production. On en arrive ainsi aux fondements essentiels des sociétés socialistes.

◆ Les trois composantes du communisme

Les économies socialistes se définissent par trois caractéristiques majeures : la *prééminence du parti*, la *planification impérative* et la *collectivisation*. Ce sont les trois piliers du régime mis en place à partir de 1928 en URSS après l'abandon de la Nep.

● *La collectivisation*

Le secteur privé disparaît entièrement dans les services et l'industrie, tandis que la collectivisation agricole est entamée. Cette dernière sera très difficile. Il s'agit de regrouper les agriculteurs, les terres et le patrimoine en fermes d'État (*sovkhozes,* où les travailleurs deviennent des fonctionnaires) ou, plus couramment, en coopératives *(kolkhozes)* conservant une relative autonomie dans la gestion mais contraintes d'assurer des livraisons obligatoires gratuites ou payées à bas prix. On comprend que les agriculteurs, dont certains avaient profité de la redistribution des terres après 1917, se soient farouchement opposés au mouvement de collectivisation. Ce conflit durera plusieurs années pendant lesquelles les déportations deviennent massives (plusieurs millions de personnes) et les approvisionnements déplorables. Finalement, après une pause, la collectivisation atteint son objectif à la fin des années 30, non sans que Staline ait dû concéder aux kolkhoziens le maintien d'une parcelle individuelle (le *dvor*) dont ils conservent la libre disposition, y compris pour en vendre les fruits.

● **La planification impérative**

« Planifier c'est prévoir, planifier c'est choisir, planifier c'est contraindre » disait Staline. Afin d'éviter les dérèglements monétaires et financiers que connaît le système libéral, la planification se fera *par les quantités*. Cela signifie qu'une administration se met en place, qui sera en position de commandement par rapport aux entreprises. Les productions de ces dernières sont déterminées par le Centre, ainsi que les consommations intermédiaires auxquelles elles ont droit et les clients qu'elles livreront.

● **La prééminence du parti**

Une autorité puissante est indispensable pour mettre en œuvre le plan qui doit se substituer aux forces aveugles du marché. Seul le parti peut tenir ce rôle, et il ne doit pas dans ce travail rencontrer d'opposition. L'idée même de pluralisme politique est incongrue dans une économie entièrement administrée.

◆ La logique de la collectivisation

En termes économiques, la prééminence du parti, la collectivisation et la planification sont intimement liées. Cela a été clairement présenté dès 1925 par l'économiste russe Levgueni Préobrajenski (1886-1937 ?) dans son ouvrage *La nouvelle économique*. Il y indique que l'agriculture va fournir à l'industrialisation le surplus nécessaire, et qu'à ce titre elle devra supporter les réquisitions nécessaires en hommes et produits. Cette problématique de l'accumulation socialiste primitive nous rappelle étrangement les mécanismes présentés pour le régime libéral. Dans les deux cas, pour accroître la production de biens nouveaux, un secteur d'activité plus productif, l'industrie, doit être privilégié. En Angleterre, cela s'est fait par un mouvement de prix relatifs qui a engendré spontanément l'exode rural et la hausse de la production agricole. Dans le modèle stalinien, sans renoncer à cette méthode en payant à bas prix les livraisons en provenance des kolkhozes, on recourt à la contrainte physique. En tout état de cause, les agriculteurs doivent produire davantage en recevant relativement moins.

On peut bien sûr imaginer, comme le faisait Préobrajenski, le maintien d'un secteur privé sur lequel se ferait le prélèvement de surplus. Mais il faut alors avoir conscience que peut se produire un mouvement de démission, les agriculteurs se cantonnant dans la production vivrière. On risque alors de connaître une croissance économique lente, voire nulle. C'est ce que proposait Nicolas Boukharine (1888-1938) en évoquant un socialisme à pas de tortue. Dans un premier temps, la poursuite de l'armistice économique que constituait la Nep laisserait se constituer une bourgeoisie agricole et artisanale. Par son épargne, celle-ci pourrait financer une industrialisation progressive et fondée sur les industries légères. D'abord soutenue par Staline, qui s'en servit pour éliminer Trotsky et les économistes partisans de l'industrialisation accélérée (Préobrajensky, Kondratieff), la perspective du socialisme à pas de tortue a ensuite été abandonnée.

◆ Le choix d'une industrialisation accélérée

Après avoir assuré son pouvoir à l'intérieur du parti et chassé Trotsky (banni en 1928, puis assassiné sur ordre en 1940), Staline va engager l'URSS sur la voie d'une construction accélérée du socialisme. C'est ainsi que l'on a qualifié de « modèle stalinien » une pratique élaborée initialement par les opposants à Staline mais appliquée ensuite par le maître du Kremlin. Les slogans des années 30 deviendront collectivisation, planification et industrialisation. La caractéristique principale de cette dernière fut de diviser les biens en deux catégories : biens A et biens B. Les biens A sont les biens intermédiaires (énergie, matières premières) et les biens de production (machines, moyens de transport), les biens B sont les biens de consommation. La volonté d'une industrialisation accélérée conduisit à privilégier la première catégorie.

La fin des années 20 et le début des années 30 seront marquées en URSS par des transformations brutales. La collectivisation agricole conduit d'abord à des résultats catastrophiques en termes de récoltes. Une violente répression s'abat sur les campagnes, et des millions d'individus sont déportés. Dans l'industrie, d'immenses chantiers sont ouverts, la production d'acier, d'électricité ou de charbon progresse rapidement. C'est dans cette dernière que s'illustre le mineur Stakhanov, qui réussit à produire en une journée douze fois la norme moyenne. Récompensé pour cette marque de fidélité à la cause socialiste, il deviendra la figure de proue d'un mouvement de stimulation idéologique des salariés. Mouvement qui subsistait en URSS à la fin des années 80, comme en témoignaient les photos des meilleurs ouvriers affichées à l'entrée des ateliers.

On sait aujourd'hui que les performances de Stakhanov étaient truquées, dans la mesure où il était aidé par deux autres mineurs anonymes. Mais avant que l'on n'apprenne cela à l'occasion de la *perestroïka* (voir volume 2), la propagande utilisa abondamment ce « succès » socialiste, le comparant aux vicissitudes traversées au même moment par les économies libérales.

III - LES PERTURBATIONS DES ANNÉES 20

La fin de la Première Guerre mondiale ne marqua pas la fin des difficultés pour les populations. Outre la grippe espagnole, qui emporta en Europe des centaines de milliers de personnes, il fallut faire face à une violente crise de reconversion. L'arrêt brutal des commandes militaires provoqua, dans de nombreuses branches d'activité, une baisse des prix et une montée du chômage. Dans le même temps, de nombreuses grèves éclataient car les salariés voulaient obtenir les dividendes de leur abnégation pendant le conflit. Les années 1920-1921 ressemblent donc, notamment en Grande-Bretagne et aux États-Unis, aux phases récurrentes de dépression qui avaient caractérisé le Grand XIXe siècle, et qui se traduisaient principalement par la baisse des prix et de la production. Dans l'agriculture américaine, par exemple, les prix vont diminuer de moitié du fait d'une surproduction qui va perdurer pendant plus de dix ans. Finalement, l'abandon de la logique marchande pendant tout le conflit ne sera pas qu'une parenthèse et va modifier structurellement les comportements, mettant les gouvernements en présence de situations nouvelles qu'ils auront beaucoup de mal à affronter. La crise britannique en témoigne tout autant que les tensions inflationnistes constatées en France, en Allemagne et au Japon.

A/ Les tensions monétaires et financières

L'évolution divergente des prix dans les pays européens est le principal indicateur du caractère opposé des politiques économiques conduites après 1918 pour régler la facture de la guerre.

◆ L'hyperinflation allemande

Confrontée à de fortes tensions sociales et politiques dès sa naissance, la République de Weimar dut d'abord s'appliquer à combattre, au sens propre, c'est-à-dire militairement, la révolution spartakiste de Berlin et les tentatives de sécession ou de coup d'État, tant en Rhénanie qu'en Bavière. Du point de vue économique, les Réparations imposées par les Alliés l'obligeaient à accroître ses exportations alors que dans le même temps, le budget de l'État aurait dû dégager un excédent.

● *Le révélateur du taux de change*

Sur le papier, l'apparition simultanée d'un excédent extérieur et d'un excédent budgétaire est possible. Elle demande néanmoins une politique de rigueur monétaire et salariale qui ne convenait pas aux troubles de l'après-guerre. C'est pourquoi la solution retenue, sinon choisie, fut l'hyperinflation. Un dollar qui valait 4,2 marks après la guerre correspondait en novembre 1923 à 4 200 milliards de la même monnaie. Les prix avaient été multipliés par un billion : 10^{12} !

Les facteurs d'une telle dérive sont relativement simples. Face aux contraintes extérieures, l'Allemagne se trouve dans l'impossibilité d'emprunter. Elle se résout donc à laisser filer sa monnaie, qui décroche du dollar dès 1921. La création monétaire va compenser l'absence de financement extérieur. On notera que l'enflure démesurée de l'émission de monnaie fiduciaire a suivi la hausse des prix, mais ne l'a pas précédée.

Le phénomène directeur était le taux de change du dollar en marks. A mesure que celui-ci se dégradait – et il ne pouvait pas en aller autrement puisque la banque centrale ne soutenait pas sa monnaie afin de conserver ses devises –, les industriels puis les commerçants ajustaient leurs prix. On découvre ainsi un phénomène particulier : c'est le taux de change qui détermine le niveau des prix ; la création de monnaie est postérieure et ne fait que constater une dévalorisation anticipée.

● *L'indispensable substitution monétaire*

A partir du moment où l'hyperinflation avait conduit à une totale perte de valeur du mark, une stabilisation s'imposait. C'est Hjalmar Schacht (1877-1970), qui mit en place le *reichsmark*, nouvelle unité monétaire équivalente au mark-or d'avant-guerre.

— *La première étape de la mutation monétaire* se déroule en octobre 1923. Une nouvelle monnaie apparaît, le *rentenmark* (littéralement « seigle mark »). Une unité s'obtient en échange de 1 000 milliards de marks. Il s'agit donc de revenir à la valeur-or de l'ancien mark. Un milliard de *rentenmarks* sont mis en circulation, correspondant au stock d'or que possède encore l'Allemagne. Par rapport aux 6 milliards de marks qui circulaient avant 1914, on a donc pratiqué une vigoureuse déflation. Il reste à redonner confiance aux utilisateurs, ce qui sera fait d'abord en gageant la nouvelle monnaie sur les actifs agricoles et industriels, puis en substituant le *reichsmark* au *rentenmark*.

— *La deuxième étape* du redressement monétaire est une *politique déflationniste* dont l'objectif est de réduire le déficit du budget de l'État (hausse des impôts et réduction du nombre de fonctionnaires). Dans le même temps, en novembre 1923, on arrête le fonctionnement démentiel de la planche à billets, y compris toutes les imprimeries locales créées à l'initiative des collectivités locales. Puis, afin d'obliger les entreprises à rapatrier les devises détenues à l'étranger, Schacht va purement et simplement arrêter tous les crédits. Enfin, avec l'aide de l'Angleterre qui voulait ainsi signifier à la France son désaccord dans l'affaire de la Ruhr, le taux de change du *rentenmark* fut soutenu. Avec le plan Dawes qui réglait momentanément le problème des Réparations en réduisant leur montant total et en étalant les paiements, l'année 1924 verra se substituer au *rentenmark* un *reichsmark* de même valeur mais dont la banque d'émission comporte un passif constitué par des prêts en devises des États-Unis et de la Grande-Bretagne.

◆ Le Cartel des gauches et l'effondrement du franc

La situation de la France ressemble à celle de l'Allemagne si l'on s'intéresse à la valeur de la monnaie.

● *La fin du « franc germinal »*

La résorption de l'endettement intérieur consécutif à la guerre prit la forme d'une politique de dévaluation et d'inflation. Pour financer la reconstruction et les pensions de guerre, on continua à pratiquer le déficit budgétaire et le retour au franc germinal devint impossible. Il en résulta un décrochage du franc par rapport au dollar et à la livre ainsi qu'une hausse des prix qui prolongea la tendance inflationniste née pendant le conflit. En 1921, les prix étaient en moyenne cinq fois plus élevés qu'en 1913. Bien sûr, l'endettement extérieur se trouvait aggravé par la dévalorisation du franc, mais la France considérait que le remboursement de ses dettes dépendait du paiement des Réparations allemandes. Ainsi, la contrainte extérieure était ignorée. Pourtant, le processus inflationniste s'emballa. Sans atteindre la situation d'hyperinflation allemande, le franc se déprécia de plus en plus vite par rapport à la livre. Au milieu de 1926, il fallait 250 F pour obtenir une livre, soit 10 fois plus qu'avant-guerre.

● *Le « franc Poincaré »*

Le manque de confiance était aggravé par la conjoncture politique car depuis 1924 le Cartel des gauches (Parti radical plus SFIO) gouvernait, sous la présidence d'Edouard Herriot. Celui-ci allait se heurter au *mur d'argent* sous la forme de la fuite des capitaux et du refus de la Banque de France (qui était encore privée) de continuer à financer le déficit budgétaire. L'expérience ne pouvait se poursuivre. Herriot remit sa démission, et le retour au pouvoir de Raymond Poincaré en 1926 coïncida avec la restauration de la confiance. Le franc fut stabilisé à une valeur de 124 F pour une livre, et une politique déflationniste classique se dessina, caractérisée par la réduction des dépenses publiques, l'accroissement du taux d'intérêt et finalement l'arrêt de l'inflation. En 1928, le bénéfice de cette politique de stabilisation autorisait le retour à la convertibilité du franc en or sur la base de 1 franc pour 65,5 mg d'or fin. La dévaluation était donc massive puisque le franc germinal équivalait, lui, à 322,5 mg. Bien que menant une politique de restauration de la valeur du franc, Poincaré avait préféré conserver les acquis de la dévalorisation sur les marchés étrangers, à la différence des Anglais qui firent tout pour redonner à la livre sa valeur antérieure.

◆ Chômage et convertibilité de la livre sterling

Le chancelier de l'Échiquier qui, en 1925, opéra le retour à la convertibilité-or du sterling à sa parité de 8 g d'or pour 1 livre, s'appelait Winston Churchill (1874-1965). Cette politique est généralement inscrite à son passif. La rigueur monétaire et budgétaire qu'elle supposait ne fut-elle pas responsable de la persistance d'un fort taux de chômage ?

● *Une stratégie de créancier*

Pays endetté après la guerre, le Royaume-Uni détenait aussi de nombreuses créances, fruits de ses investissements d'avant-guerre à l'étranger. En outre, depuis de nombreuses années, son commerce extérieur était déficitaire mais un excédent de la balance des paiements subsistait grâce aux invisibles dont la majeure partie était constituée du revenu des capitaux et des services financiers de la City. C'est cette fonction de plaque tournante financière que Londres a voulu conserver. Aussi la politique déflationniste pratiquée, et la destruction partielle, à grand renfort de publicité, des billets émis sans contrepartie métallique pendant la guerre avaient-elles pour objectif de restaurer la confiance dans la livre. On rassurait ainsi les milieux financiers et l'on évitait la dévalorisation des créances sur l'étranger qu'aurait impliquée une dévaluation.

● *Une logique déflationniste*

Les conséquences sur l'activité économique furent défavorables. Les prix intérieurs baissèrent. En 1920, ils étaient en moyenne trois fois supérieurs à ceux de 1913. Mais en 1921, la crise de reconversion les fit diminuer de moitié. Cet étiage fut maintenu pendant presque toutes les années 20 alors qu'outre-Manche comme outre-Atlantique la reprise s'accompagnait d'une nouvelle hausse des prix. Cela mit en difficulté de nombreuses entreprises britanniques qui répercutèrent la contrainte par une baisse des salaires nominaux. Ainsi s'expliquent l'intense agitation sociale qui culmina avec la longue grève des mineurs en 1926, de même que l'accession au poste de Premier ministre, en 1924 puis à nouveau en 1929, d'un travailliste : Ramsay Mac Donald.

◆ Spéculation et faillites bancaires au Japon

La Première Guerre mondiale a permis au Japon de connaître un véritable boom économique : la production industrielle a été multipliée par 5 pendant le conflit. Dans le même temps, les exportations progressaient, permettant de dégager – fait nouveau – un excédent commercial. Les avoirs en devises qui en découlèrent conduisirent les banques à gonfler les crédits jusqu'à les multiplier par 20. La fin du conflit et la crise de reconversion mit fin à cette période faste.

Une succession de catastrophes d'origines diverses frappa d'abord la population : en 1918, la hausse des prix du riz, consécutive à une production insuffisante et à l'inflation, déboucha sur des émeutes meurtrières ; quelque temps après, la crise de reconversion traversée par les pays occidentaux se traduisit par une forte contraction des ventes de soieries, le chômage progressa alors rapidement dans les centres industriels ; c'est alors que, en 1923, survint à Tokyo un violent tremblement de terre. Outre de nombreuses victimes, ce dernier occasionna de graves difficultés pour les ménages et les entreprises de la région. Difficultés qui se propagèrent progressivement au système financier, à tel point qu'en 1927 le système bancaire connut une série retentissante de faillites. Toute l'économie japonaise en fut ébranlée.

Ainsi, les chocs internes et externes avaient provoqué de multiples déséquilibres face auxquels l'expansionnisme militaire allait se présenter comme une solution.

B/ La fragilité de la croissance économique

L'Europe, elle aussi, allait être confrontée à la tentation expansionniste, et cela pour des raisons similaires : la reprise de la croissance dans les années 20 ne fut pas durable.

◆ L'embellie française

Dans la première moitié des années 20, la baisse relative des prix français stimulait les exportations. Aussi la période 1922-1926 se caractérise-t-elle par une prospérité qui tranche avec la langueur britannique.

Les années postérieures à 1926 se présentent sous un jour totalement inversé par rapport à l'immédiat après-guerre. Le franc Poincaré devient une valeur refuge. Cette restauration de la confiance monétaire contraste avec la dégringolade des années précédentes. Mais à l'instar du Royaume-Uni, le retour de la confiance financière engendre la morosité industrielle. Car contrairement aux idées reçues, certaines branches industrielles travaillaient déjà majoritairement pour l'exportation. La dévaluation du franc par rapport au dollar et à la livre avait représenté pour elles un « coup de veine », d'après les propres termes du directeur de la société Pont-à-Mousson qui exportait 67 % de sa production. Et si l'indice général de la production industrielle ne fléchit pas avant 1930, c'est qu'il était très incomplet. Alfred Sauvy rappelle dans son *Histoire économique de la France entre les deux guerres* qu'il n'incluait pas encore la production des pâtes alimentaires, des biscuits, chocolats, conserves, fils, tissus, vêtements, produits chimiques, chaussures, huiles, savons, papiers, pneumatiques, automobiles... Si l'on s'intéresse aux indicateurs propres à ces branches, on constate que le maximum de production a souvent été atteint avant le dernier trimestre de 1929 : au deuxième trimestre 1928 pour la laine et la soie, au quatrième trimestre 1928 pour le coton et le cuir, au deuxième trimestre 1929 pour la fonte, l'acier, le cuivre et l'automobile. La récession française n'a pas attendu la crise boursière américaine.

◆ La lente reprise allemande

En Allemagne en revanche, les difficultés se manifestent surtout après le krach de 1929. Car une fois opérée la substitution monétaire en 1923-1924, on se rendit compte que l'industrie n'avait pas souffert de l'hyperinflation. La dévaluation forte du mark avait fait les affaires de certains, comme Hugo Stinnes, principal responsable du cartel de l'acier. En effet, les entreprises travaillant à l'exportation bénéficiaient d'un taux de change favorable et, en échange des devises étrangères, obtenaient dans le territoire national des moyens de paiement qui facilitèrent les regroupements d'entreprises. A la limite, on peut dire que la dévaluation a aidé à la rapide reconstruction du potentiel de production allemand malgré les pertes territoriales (Alsace-Lorraine, Sarre, Silésie). On a même découvert après coup que la banque centrale avait prêté des devises à Hugo Stinnes pendant la période de grande inflation.

Ainsi, l'assainissement monétaire et le financement extérieur retrouvé facilitèrent le retour à une croissance assez rapide à partir de 1924. Les Réparations étaient payées et la situation politique intérieure se stabilisait, de même que les relations avec les autres pays européens (accords de Locarno en 1925). Progressivement, l'Allemagne redevint une puissance industrielle, notamment en développant de nouvelles activités comme la chimie et la construction électrique. De ce fait, elle menaçait à nouveau son concurrent anglais confronté à une crise persistante.

◆ La stagnation britannique

Au début des années 20, les Anglais escomptaient une hausse généralisée des prix au milieu de laquelle la hausse relative des prix anglais consécutive à la revalorisation de la livre passerait inaperçue. Mais le contraire se produisit : le ralentissement du crédit et des commandes après la guerre engendra une chute durable des prix internationaux. Certaines branches traditionnelles de l'industrie anglaise furent particulièrement affectées, les exportations de charbon déclinèrent de moitié et il en alla de même dans la branche textile. On comprend dès lors la montée du chômage durant toute la période. En Grande-Bretagne plus qu'ailleurs, les nouvelles activités, même dynamiques (voir Imperial Chemical Industry – ICI – ou l'automobile) ne réussirent pas à tirer vers le haut l'ensemble de la production industrielle qui stagna durant toute cette période.

Il en alla de même pour le revenu par tête qui, à prix constants, se trouvait en 1929 au même niveau qu'en 1913. C'est ce qui a conduit l'historien français A. Siegfried à parler dès 1931 de la *La crise britannique du XXᵉ siècle*. Le déclin de la première économie mondiale se poursuivit donc après comme avant la Première Guerre mondiale. La Grande-Bretagne ne renouera avec la croissance qu'en changeant radicalement de politique économique au début des années 30.

– 7 –

Crise et désarroi
des politiques économiques

Les années 30 sont connues pour être celles de la Grande Dépression, expression qui n'est pas exagérée dans la mesure où le monde capitaliste a connu pendant toute cette période des difficultés majeures. Les réponses que les gouvernements ont tenté d'y apporter n'ont pas donné de résultats tangibles, sauf, partiellement, en Grande-Bretagne. Par comparaison, les premiers résultats de l'industrialisation en URSS ont donc paru prometteurs, alors que dans les pays occidentaux se multipliaient les régimes autoritaires adossés aux réflexes nationalistes et isolationnistes. Pourtant, vu des États-Unis, l'après-Première Guerre mondiale se présentait plutôt bien.

I - LES ÉTATS-UNIS :
DE LA PROSPÉRITÉ AU KRACH

Après la crise de reconversion de 1920-1921, l'économie nord-américaine connaît une longue phase d'expansion. Des transformations importantes s'y déroulent dans les techniques de production (taylorisme) comme dans les comportements de consommation des ménages. Tout cela ne fut pas factice comme on le croit parfois : le niveau de vie des Américains progressa réellement, à la différence de ce qui se passa en Grande-Bretagne. Comment expliquer alors l'interruption brutale d'un processus apparemment vertueux ?

A/ Société de consommation et spéculation

Le caractère vertueux de la prospérité économique des années 20 repose sur un fait simple : la progression de la productivité dans l'industrie manufacturière, notamment dans les secteurs nouveaux comme l'automobile.

◆ L'épanouissement de la deuxième révolution industrielle

Fondée sur de nouvelles sources d'énergie (le pétrole et l'électricité), sur de nouvelles techniques (moteur électrique et moteur à explosion) et sur de nouveaux produits, la deuxième révolution industrielle a commencé à la fin du XIXe siècle. Mais c'est après la Première Guerre mondiale qu'elle se diffuse largement.

● *Une prospérité sélective*

Des produits aussi divers que l'automobile, les ascenseurs (d'où l'apparition des premiers gratte-ciel), les réfrigérateurs ou le cinéma vont progressivement transformer les modes de vie. Avec 1,5 million de voitures produites en 1921 et 4,8 millions en 1929, la civilisation de l'automobile est née. Dans le même temps, les prix diminuent grâce à l'amélioration de la productivité. Une voiture de bas de gamme, qui coûtait 1 500 dollars en 1913, s'achète 600 dollars en 1927. Mais la prospérité industrielle est partielle, et certaines branches connaissent depuis la guerre une activité ralentie. L'agriculture, quant à elle, traverse une crise profonde. La baisse des prix ne doit pas dans cette optique être seulement considérée comme un avantage pour la collectivité.

● *L'organisation scientifique du travail*

Les gains de productivité se développent dans l'industrie à la suite de l'extension du taylorisme. Ce procédé scientifique d'organisation du travail avait été mis au point au début du siècle par F. W. Taylor (1856-1915). Il a ensuite été appliqué dans plusieurs secteurs comme le textile ou la construction automobile.

En divisant au maximum les tâches d'exécution, en éliminant les gestes inutiles et en généralisant la normalisation des temps de réalisation par le chronométrage, le taylorisme a eu deux conséquences majeures :

— Le développement d'une *population d'ouvriers sans qualification*, appelés par la suite « ouvriers spécialisés » (OS), à qui il était demandé des tâches répétitives simples. En échange de cette docilité, ils obtenaient, du fait des gains de productivité, une rémunération relativement élevée pour la période (cf. les « *five dollars a day* » de H. Ford).

— La généralisation de la *standardisation*, ouvrant la voie à une *production de masse*. La société de consommation, ainsi qu'on la baptisera plus tard, est issue de ces changements techniques qui se prolongeront dans la transformation des mentalités. L'ère de l'opulence, selon la formule de J. K. Galbraith, était née. Mais son extension allait être brutalement interrompue par les avanies boursières.

◆ Les charmes de la bourse

En 1907, la bourse de New York, à Wall Street, avait connu une violente contraction qui avait donné naissance à une courte récession économique. Le fait qu'une crise boursière débouche sur un ralentissement de l'activité n'était pas nouveau et aurait donc dû inciter à la prudence. Mais l'attrait pour l'alchimie boursière était tel que les expériences antérieures ne servirent pas à limiter les ardeurs spéculatives des années 20.

● *La magie des plus-values*

La progression exceptionnelle des dividendes distribués par certaines entreprises permit la hausse spectaculaire de la valeur de certains titres dès le milieu des années 1920. A partir de là se met en place un processus de spéculation boursière auto-entretenu que l'on peut résumer de la façon suivante : les succès boursiers de quelques opérateurs attirent de nouveaux acquéreurs, la hausse se généralise ainsi à l'ensemble des valeurs boursières. Celles-ci étant en nombre réduit, tout se passe comme si un effet d'entonnoir plaçait les vendeurs en position de force. La hausse nourrit la hausse car toute revente de titre permet une plus-value sans que l'acheteur soit perdant puisque lui aussi pourra plus tard revendre avec profit les titres acquis.

● *L'apparente progression des profits*

Des facteurs additionnels ont contribué à la poursuite du mouvement. D'abord, les profits distribués par les entreprises sont demeurés à un niveau relativement élevé. Non pas du fait d'une progression réelle, mais tout simplement à la suite d'une réduction des investissements et donc de l'autofinancement. Conservant moins de bénéfice pour elles-mêmes, les entreprises ont accéléré l'engouement boursier. De 1921 à 1929, le pouvoir d'achat des profits a progressé de plus de 60 %, alors que celui des salaires n'augmentait que de 17 %. Cette différence a souvent été invoquée pour défendre l'idée que la crise de 1929 était d'abord une crise de surproduction simplement aggravée par les problèmes de la bourse. En fait, il faut sans doute renverser la perspective : une crise de surproduction *provoquée* par un effondrement boursier et bancaire.

B/ De la spéculation au krach

En 1927, les autorités américaines ont réduit le taux d'escompte de 4 à 3,5 % pour éviter une spéculation contre la livre. Les emprunts devenaient moins onéreux, y compris pour les spéculateurs qui en profitèrent largement. Si l'on ajoute à cet encouragement le fait que de nombreuses entreprises prêtaient leur trésorerie, par ailleurs faiblement rémunérée par les banques, à des spéculateurs, on comprend pourquoi on avait affaire à une construction éminemment fragile. De la fin de 1924 au mois d'octobre 1929, les prêts aux *brokers*, eux-mêmes pourvoyeurs des spéculateurs, étaient passés de 2,2 à 8,5 milliards de dollars. Et sur ce total, plus des trois quarts provenaient des entreprises.

◆ « Les cours ne montent jamais jusqu'au ciel »

A l'automne 1929, après de longues années de progression, les cours des titres semblent surévalués pour beaucoup d'opérateurs. Il suffit pour cela d'effectuer un calcul simple : on divise les dividendes perçus par la valeur boursière. Le taux de rentabilité ainsi obtenu peut être rapproché des taux en vigueur sur d'autres placements. Chacun s'attendait donc à une baisse, et déjà, au mois de septembre, lorsque la Banque d'Angleterre avait augmenté son taux d'escompte, d'importants mouvements de vente avaient été observés. Une simple opération d'arbitrage révélait que les placements à Londres devenaient plus rémunérateurs. Comme, dans le même temps, s'annonçait un plafonnement de l'activité et des bénéfices industriels pour le premier semestre 1929, un phénomène de panique se produisit, qui culmina les 24 et 29 octobre 1929. Le marché se retourna brutalement et la plupart des opérateurs devinrent vendeurs. La quasi-absence de demande produisit un effondrement des cours que les interventions d'un pool bancaire réuni autour de la banque Morgan ne réussirent pas à enrayer. La baisse dura trois semaines ; fin novembre, le niveau des cours avait diminué de moitié, retrouvant celui des années 1926-1927.

◆ Faillite des spéculateurs et effondrement du crédit

Tout cela pourrait paraître relativement bénin : la chute des cours ne concernait que le monde étroit des spéculateurs (au plus 1,5 million d'Américains détenaient des valeurs boursières et bien peu spéculaient vraiment). Mais la chute de la valeur des titres signifiait une réduction brutale de la capitalisation boursière, qui déclencha une crise générale de trésorerie. Il en résulta un quasi-effondrement de la pyramide de crédits qui soutenait la spéculation boursière. La multiplication des cessations de paiement de particuliers engendra la faillite de certains *brokers* qui entraînèrent des banques dans leur chute. L'onde de choc boursière se propagea rapidement au secteur bancaire et à tout l'édifice financier, dans un pays où la monnaie scripturale représentait déjà la majorité de la masse monétaire. La famine de monnaie consécutive à la crise bancaire conduisit de nombreuses entreprises à rechercher des liquidités par la vente à bas prix ; dans le même temps, on répercutait sur les salaires les contraintes de la déflation.

Le krach de Wall Street marquait donc un point de retournement brutal de la conjoncture.

II - LA GRANDE CRISE DES ANNÉES 30

La multiplicité des petites banques va accentuer le phénomène : plusieurs milliers d'établissements de crédit vont disparaître. On imagine les conséquences catastrophiques d'un tel raz-de-marée sur l'activité économique et sur les relations financières internationales. Le processus, *via* les relations financières internationales, va en effet se transmettre à l'ensemble des pays industrialisés, aux colonies et aux pays fournisseurs de matières premières. Un accident boursier est donc à l'origine de la plus grande crise économique.

A/ Du choc financier à la dépression

Les mécanismes qui conduisent d'une perturbation boursière localisée à une crise mondiale sont dramatiquement simples ; ils découlent de la fragilité des institutions monétaires et financières.

◆ Faillites bancaires et famine de monnaie

Dans les années 20, il y avait près de 30 000 banques aux États-Unis, dont quelques centaines seulement faisaient faillite chaque année. En 1930, elles seront 1 352 dans ce cas, 2 294 en 1931, 1 456 en 1932 et 4 004 en 1933 où il restait au total moins de 15 000 banques en activité. Cette réduction s'est accompagnée d'une destruction de monnaie puisque, faute d'assurance ou de garantie publique, les dépôts effectués dans ces établissements furent purement et simplement annulés. La masse monétaire totale, qui s'élevait à 45 milliards avant le krach, n'était plus que de 32 milliards quatre ans plus tard. Des millions de firmes ou de ménages virent donc leurs avoirs se contracter progressivement alors même qu'ils n'avaient pas été concernés par les activités boursières. On comprend à partir de là pourquoi les achats ont fortement diminué, les prix suivant le même mouvement. C'est donc bien un choc monétaire, une déflation au sens strict, c'est-à-dire un dégonflement de la masse monétaire, qui est à l'origine de la déflation au sens courant du terme, c'est-à-dire la baisse de l'activité économique.

◆ L'internationalisation de la crise

A des degrés divers, tous les pays occidentaux ont connu le même mécanisme, mais c'est en Allemagne qu'il a atteint la plus forte intensité, avec les conséquences que l'on sait. Le manque de numéraire aux États-Unis aboutit à stopper les crédits à l'Allemagne et à l'Autriche, or ceux-ci étaient indispensables à la survie financière de ces pays. La faillite du Kreditanstalt de Vienne en 1931 marque le début d'une période noire, y compris pour les banques américaines qui vont souffrir du choc en retour provoqué par les faillites bancaires européennes. Partout, les acteurs économiques vont réagir en réduisant leur production, leurs achats et leurs prix. C'est ainsi que de 1929 à 1933 aux États-Unis et jusqu'en 1936 en France, où la crise se manifesta moins fortement mais plus tardivement, les prix et la production connaîtront une longue spirale déflationniste. Cette dernière tarit progressivement les flux commerciaux internationaux, poussant chacun à une politique de cavalier seul.

B/ Une dépression aux dimensions mondiales

Au-delà du canal financier, c'est donc par le biais de la contraction des échanges commerciaux que la crise se diffusa. Bien que ces derniers ne se soient pas développés très rapidement dans les années 20, on avait néanmoins retrouvé puis dépassé en 1929 les maxima atteints en 1913. Or, en trois ans, le commerce mondial va se réduire de 25 % en volume, alors que les prix baissent de plus de 50 %. En valeur, on obtient ainsi une réduction des deux tiers du commerce international entre 1929 et 1934. La récession explique cela, mais aussi les nombreuses mesures protectionnistes adoptées par les différents pays partenaires.

◆ La tentation protectionniste

● *Retour à la case départ aux États-Unis*
Face à la crise de reconversion d'après-guerre, les États-Unis étaient revenus au protectionnisme et à l'isolationnisme. La baisse des droits du tarif Underwood en 1916 était remise en cause comme le fut la participation des États-Unis à la Société des nations (SDN), pourtant créée à l'initiative du président Wilson. En 1922, le *tarif Fordney-Mac Cumber* relevait les droits à un niveau moyen de 38 %, proche des 50 % en vigueur avant 1914. Dans une conjoncture mondiale déprimée, cette mesure apparut comme un encouragement pour les autres nations. La France augmenta dans des proportions encore plus importantes certains de ses droits de douane, et les Anglais eux-mêmes conservèrent quelques protections de la période 1914-1918 (tarif Mac Kenna de 1915). Ainsi, la médiocrité des échanges internationaux caractérise les années 1920 ; les pressions protectionnistes précèdent la crise boursière. Dès mai 1929 aux États-Unis, un relèvement des tarifs était à l'étude, et en juin 1930, le *tarif Hawley-Smoot* portait à 50 % en moyenne les droits perçus sur les produits protégés.

● *Changement de cap en Grande-Bretagne*
Secouée par les coups de bélier financiers du début des années 1930, la Grande-Bretagne abandonna la rigueur monétaire. En septembre 1931, la livre fut dévaluée de près de 30 %. En 1932, les accords d'Ottawa marquaient l'abandon du libre-échange. Poussé par le Canada, pressé de répliquer au tarif Hawley-Smoot, le Commonwealth décidait de jouer son propre jeu. Les pays neufs de l'Empire britannique, fortement affectés par la réduction du cours des matières premières, préféraient s'assurer des débouchés sûrs avec la Grande-Bretagne, qui obtenait dans le même temps une clientèle pour ses produits industriels. C'est ainsi que naquit la *zone sterling*, caractérisée par l'usage de la monnaie britannique pour les échanges intra-zones et

par le recours à cette même monnaie comme réserve de valeur pour placer à Londres les avoirs des banques centrales des pays membres.

◆ Le révélateur des indicateurs

Pour Alfred Sauvy, la décision britannique fit rebondir la crise, comme le montrent non seulement l'exemple français, mais aussi la poursuite de la dégradation des indicateurs économiques pendant toute l'année 1932.

• *La France décalée*

En France, une crise industrielle s'était manifestée dans de nombreuses branches exportatrices dès la stabilisation du franc. Mais par la suite, la panique boursière épargna relativement ce pays qui fit alors figure d'îlot de stabilité financière, sinon de prospérité. Pourtant, la France va entrer à son tour dans l'engrenage de la dépression en 1932. Mais l'importance du secteur agricole et le retour au pays de près d'un million d'immigrés européens va limiter l'intensité du chômage. Pourtant, si la masse de chômeurs ne dépassa pas 500 000, les salariés de l'industrie furent largement touchés, comme le montre la forte progression du chômage à la fin de 1935 et au début de 1936. Cette manifestation tardive de la crise est particulière puisque dans la plupart des pays, le point bas est atteint en 1933.

• *Le monde déprimé*

L'année 1933 peut être qualifiée d'année noire pour la plupart des pays. Aux États-Unis, de 1929 à 1933, prix et production chutent de moitié alors que le chômage atteint des proportions gigantesques : 15 millions de sans-emploi, soit un quart de la population active. L'absence de protection sociale place les chômeurs dans une situation de pauvreté qui freine encore la demande : la crise nourrit la crise. Seule la Grande-Bretagne, repliée sur le Commonwealth, tire son épingle du jeu grâce au décrochage de la livre. Dès le milieu des années 30, la production industrielle atteignait des niveaux inconnus durant les années 20 et le revenu par tête recommençait enfin à progresser : 27 % de 1932 à 1939, ce qui permit de dépasser de 20 % le niveau atteint en 1914, correspondant aussi à l'étiage des années 20. Ailleurs, les chiffres parlent d'eux-mêmes : la production industrielle a diminué de 47 % en Allemagne, de 33 % en Italie, de 42 % au Canada, de près de 35 % en Pologne et en Tchécoslovaquie. Partout le chômage atteint des niveaux inconnus : 17 % de la population active en Allemagne, 13 % au Royaume Uni, 12 % aux

Pays-Bas. On comprend alors les secousses sociales et politiques des années 30, et leur dramatique traduction militaire en 1939-1940.

III - LES POLITIQUES ÉCONOMIQUES À L'ÉPREUVE

Il est, après coup, évident que l'expansionnisme allemand est à l'origine de la Seconde Guerre mondiale en Europe. Mais en 1933, l'arrivée au pouvoir de Hitler, comme celle de Mussolini en 1922, se présentait surtout comme une solution nationale à la crise. De façon générale, les années 30 ont été, dans les pays capitalistes comme dans les pays socialistes, caractérisées par une succession de tentatives isolées de lutte contre la crise.

A/ Les pays capitalistes dans l'impasse

Face à l'effondrement économique général, les gouvernements ont réagi en ordre dispersé et n'ont pu résister à la tentation protectionniste. Le meilleure illustration de cette tendance au repli et au cavalier seul se trouve dans le déroulement de la conférence internationale tenue à Londres en juin 1933. L'administration américaine du nouveau président Roosevelt, en accord avec les Anglais, souhaitait principalement que soient adoptées des mesures propres à faire augmenter les prix. Pour cela, elle préconisait principalement le décrochage par rapport à l'or et une politique commune de contrôle de l'offre pour éviter une guerre des prix. Mais du fait notamment de l'opposition des Français, accrochés à la valeur-or du franc, aucun accord ne put être obtenu. On se reporta donc sur des politiques nationales.

◆ Les limites du New Deal aux États-Unis

Entré en fonction en mars 1933, Franklin Roosevelt n'a pas, comme on le dit souvent, réussi par sa politique à éliminer la crise. Plus précisément, dans l'ensemble des mesures qui composent le New Deal, il faut distinguer celles qui ont été efficaces et celles dont les résultats demeurent incertains.

• *L'inflation comme objectif*
Le principal objectif de Roosevelt était d'*empêcher la baisse des prix*. Pour cela, dès sa prise de fonction en mars 1933, il décida une fermeture des

banques durant trois jours. L'*Emergency Bill* lui donna alors les pleins pouvoirs en matière monétaire et bancaire. Tout en organisant le soutien aux banques, il suspendit l'étalon-or, interdit toute opération privée sur ce métal et revint en fait au bimétallisme. En effet, le gouvernement achetait de l'or et de l'argent à des prix en forte hausse. C'était un moyen parmi d'autres de mettre de la monnaie en circulation. Dans le même mouvement, la dévaluation du dollar dès avril 1933 conduisit à une reprise très soutenue jusqu'en août. Un coup d'arrêt était ainsi donné à la spirale déflationniste.

• *Une logique malthusienne*

Les mesures administratives qui ont suivi n'ont pas eu autant de succès, du fait de réflexes malthusianistes de rétention de l'offre. Si dans le cas de l'agriculture, les primes à l'arrachage de l'*Agricultural Adjustment Act* (AAA) se justifiaient eu égard aux excédents chroniques et à l'effondrement des cours, le *National Industrial Recovery Act* (NIRA) n'a pas eu les effets qu'on lui prête puisque la relance de la production amorcée avec la dévaluation en avril 1933 s'interrompit en août après le vote du NIRA. Dans le cadre de ce programme, les entreprises passaient des accords avec l'administration. Elles s'engageaient à ne pas diminuer les salaires et à reconnaître les syndicats. Dans le même temps, elles s'entendaient dans une branche pour déterminer un niveau de production maximum. Les entreprises engagées dans de tels accords recevaient un label (l'aigle bleu) incitant les consommateurs à leur réserver leurs achats. De même, l'administration leur ouvrait les marchés publics. Destinées à arrêter le phénomène cumulatif de faillites par excès de concurrence, il semble bien que ces mesures, en bridant l'offre, aient eu un effet négatif au moment où la reprise se dessinait.

• *Un interventionnisme persistant*

Réélu en 1936, Roosevelt poursuivit une politique sociale qui s'inscrit dans ce que l'on a appelé le « second New Deal ». On y trouve une reconnaissance officielle des syndicats avec le *Wagner Act* de 1935, et l'amorce d'un système de protection sociale englobant les retraites et une allocation chômage. Au total, malgré l'importance du déficit budgétaire pour financer les emplois publics créés notamment par la *Work Progress Administration* (qui emploiera simultanément jusqu'à plus de deux millions de chômeurs à des travaux d'utilité collective), la crise américaine se poursuivra jusqu'à la guerre. L'année 1938 connut même une grave rechute, imputable pour partie à la réduction du déficit budgétaire ; le chiffre du chômage dépassa à nouveau les 10 millions de personnes.

◆ Les trois réponses françaises

Dans le cas de la France, on peut distinguer trois types de réponse à la crise. Seule la troisième aura une certaine efficacité.

● *La déflation de Pierre Laval*

La première est classique, il s'agit de la politique déflationniste appliquée par Pierre Laval en 1935. L'objectif principal étant la stabilité du franc, il fallait s'adapter au mouvement de baisse des prix, ce qui conduisit à réduire les dépenses de l'État (et les salaires nominaux des fonctionnaires) et la création de monnaie.

Ces mesures n'empêchèrent ni la récession ni la perte de confiance à l'égard du franc. Celle-ci s'aggrava avec l'arrivée au pouvoir du Front populaire.

● *L'improvisation du Front populaire*

La seconde fut mise en œuvre par le Front populaire, sous la pression des grèves de mai-juin 1936, mais son efficacité fut hypothéquée par son caractère improvisé. Tout d'abord, Léon Blum (1872-1950) refusa de dévaluer immédiatement, pour s'y trouver contraint quelques mois plus tard dans les plus mauvaises conditions, c'est-à-dire après avoir gaspillé les réserves financières. Par ailleurs, les accords de Matignon, s'ils pouvaient relancer la demande par les hausses de salaires accordées, bridaient conjointement l'offre en limitant trop strictement la durée du travail à 40 heures par semaine. Et comme la hausse des prix vint ensuite entamer le pouvoir d'achat, la politique du Front populaire se présente comme une logique de partage du travail avec partage des rémunérations.

● *La relance de Paul Reynaud*

La troisième tentative émane du gouvernement de Paul Reynaud (1878-1966), qui revint partiellement sur la règle des 40 heures en autorisant les heures supplémentaires. Il obtint ainsi une remarquable relance de l'activité en conjuguant diverses mesures : la dévaluation du franc et le décrochage par rapport à l'or, la stimulation de l'offre par l'abandon des 40 heures, et celle de la demande par l'absence de déflation ou de remise en cause des avantages financiers obtenus en 1936. Mais comme le souligne Alfred Sauvy (qui conseillait Paul Reynaud), ce succès fut passé sous silence en raison des préparatifs de la guerre, imposée par les régimes militaristes et expansionnistes.

◆ La solution militaire en Allemagne et au Japon

Si le nazisme a constitué une des issues de la crise économique, le dirigisme économique qu'il a employé ne signifie pas forcément que le capitalisme doive systématiquement se pervertir en fascisme. En effet, les principales mesures de relance n'empruntent pas que les voies tracées par les idéologues nazis (domaine paysan inaliénable, persécution des Juifs « fauteurs de crise »). La principale méthode, les traites de travail, a été décidée avant l'avènement d'Hitler.

• *La reflation par le déficit*

Pour éviter que le déficit budgétaire ne provoque l'inflation, l'État ne réglait pas ses commandes d'armement ou de travaux publics, en revanche les fournisseurs pouvaient tirer une traite sur le Trésor afin de régler leurs propres achats. On avait là une première forme de circuit de travail sans création monétaire. Au cas où un des bénéficiaires de la traite avait besoin de liquidités, il pouvait l'escompter auprès de banques privées. Mais alors, pour repousser un peu plus la validation de la traite par le réescompte auprès de la banque centrale, les banques ne pouvaient réescompter directement ce papier commercial particulier. Un certain nombre de chicanes existaient entre les banques commerciales et la banque centrale, chaque étape facilitant la compensation des besoins et capacités de financement des diverses banques, ce qui limitait le recours à la création monétaire centralisée. Bien sûr, après une certaine période, la traite arrivait à destination et la masse monétaire augmentait réellement. A la fin des années 30, les traites sur l'État représentaient 80 % des contreparties de la masse monétaire allemande.

• *Une économie sous surveillance*

Le système des traites de travail suppose un certain nombre de conditions. D'abord un contrôle strict des prix, des salaires et des changes mais aussi du crédit et des profits. Ces derniers ont été plafonnés à 6 % du capital et l'impôt sur les sociétés a crû fortement, de même le crédit aux entreprises était entièrement administré. Pour les relations extérieures, on est revenu au *clearing* car les réserves de la banque centrale ne représentaient qu'une semaine d'importations. Pourtant, grâce à la baisse des prix des produits primaires, il n'y eut pas de réduction des importations en volume, donc pas de rationnement. Les choses s'améliorèrent en 1938 après l'Anschluss, quand les Allemands purent mettre la main sur les réserves de la banque centrale autrichienne. Mais à cette époque, le dirigisme nazi s'était révélé pour ce qu'il était : un culte de la force qui conduisait à la guerre de façon accélérée. Dès cette époque, des rationnements apparaissaient devant les exigences croissantes de la politique d'armement.

● *Le poids de l'expansionnisme*

Le même scénario de relance par les commandes publiques s'appliqua au Japon. Dès 1934, le gouvernement pratiquait une politique de reflation, c'est-à-dire de soutien monétaire de la croissance économique par le biais des dépenses publiques. Principalement orientée vers le domaine militaire, cette politique menait elle aussi à un affrontement militaire, comme le montre la part croissante prise par l'armée dans le gouvernement du pays. La place prééminente de cette dernière fit du Japon une économie dont le principal objectif était, comme en Allemagne mais aussi comme en URSS, la quête de la puissance.

B/ Les résultats du pays du « socialisme réel »

Après avoir été pendant longtemps un projet de société, le socialisme devint réalité en URSS au cours des années 30. Avec le recul de l'Histoire, on peut rendre hommage à ceux qui, comme Léon Blum lors du Congrès de Tours en décembre 1920, y ont décelé dès l'origine les germes du totalitarisme. Mais dans l'ambiance internationale tendue et face à la crise économique des économies libérales, la planification soviétique apparut à beaucoup comme une solution alternative crédible, et en tout cas préférable au fascisme ou au nazisme. Et même si l'on sait aujourd'hui que les statistiques soviétiques sont fortement sujettes à caution, il est évident que le modèle stalinien de croissance a obtenu des résultats tangibles.

◆ Les premiers plans quinquennaux

La planification est ébauchée en URSS dès le début des années 20. D'abord, une administration, le Gosplan (littéralement : organisme d'État du plan) est chargée de ce travail de prévision et de programmation dès 1921. Des expériences sectorielles sont ensuite menées dans des domaines comme l'électricité, la métallurgie et les transports tout au long des années 20. Enfin, lorsque Staline décide d'accélérer la construction du socialisme, sont lancés les premiers plans quinquennaux.

- **Collectivisation et industrialisation**

Le premier plan (1928-1932) correspond à une période troublée où il s'agit d'abord de faire disparaître les bases de l'ancien régime économique ménagées par la Nep. Dans l'agriculture, le processus se heurte à une forte résistance, et la production diminue de façon sensible, suscitant une véritable disette.

Dans l'industrie, les résultats sont plus probants. La socialisation des ateliers et usines privés est plus facile car elle touche une faible part de la population. Aussi, grâce aux investissements effectués et au déplacement (parfois forcé) de la main d'œuvre dans les usines, la production augmente fortement. Une croissance annuelle de 13 % du produit est annoncée, avec des progressions spectaculaires dans les domaines de l'acier, du charbon, de l'électricité et des machines.

- **Stakhanovisme et totalitarisme**

Le second plan (1933-1937) est encore plus ambitieux puisqu'il affiche une progression du produit de 16 % par an. La population est particulièrement sollicitée dans la mesure où la campagne de stakhanovisme annonce la réalisation du « plan quinquennal en quatre ans ». La compétition avec les États-Unis est explicitement mise en avant et, à l'intérieur, la dérive totalitaire du régime s'accentue. En témoignent les procès de Moscou qui éliminent les vieux bolcheviks comme Boukharine, mais aussi le fait qu'une part non négligeable des objectifs du plan (près d'un cinquième) devait être réalisée par la main d'œuvre des camps de travail du NKVD, successeur en 1934 de la Guépéou et ancêtre du KGB. Ce fut notamment le cas des 20 000 km de nouvelles voies ferrées et de la voie d'eau creusée entre Moscou et la Volga.

- **Utopie et propagande**

Le troisième plan (1938-1942) sera interrompu par l'offensive allemande de juin 1941. Il lui avait été fixé des objectifs ambitieux. Quantitativement, la croissance devait atteindre 12 % par an, et qualitativement, il devait marquer l'achèvement de la société socialiste sans classe. On mesure ici la part de propagande que pouvaient contenir de tels objectifs, qui révèlent aussi combien les dirigeants de ce pays croyaient pouvoir atteindre rapidement le stade du communisme.

Pourtant, la guerre allait révéler un certain nombre de faiblesses de l'économie soviétique – qui comme l'ensemble des pays alliés, sera largement fournie en armes par les États-Unis.

◆ L'URSS, une nouvelle société ?

De même que la mobilisation économique a conduit à la négation des libertés dans l'Allemagne nazie, de même en URSS les succès industriels exigeaient un contrôle permanent de la population. S'ils ne sont pas analogues, les rouages de ces deux types de société sont homologues en ce sens que l'économie y est totalement inféodée aux choix politiques.

● *Le culte de la puissance*

Ainsi la préférence soviétique pour la production de biens A peut-elle être vue, du point de vue économique, comme le fruit d'une volonté de croissance accélérée. Mais cette approche ne doit pas être exclusive d'une autre analyse. Si, au cours des trois premiers plans et des suivants, les biens A bénéficiaient de 50 % des investissements contre dix fois moins pour les biens B, c'est que l'ambition socialiste n'était pas de mettre en place une société de consommation. Du point de vue politique, c'est la puissance de l'ensemble qui intéressait les dirigeants et qui, de ce fait, justifiait les priorités. Du point de vue idéologique, la préférence pour une société communiste ne doit pas non plus être confondue avec la mise en place d'une production diversifiée propre à satisfaire les besoins multiples et variés de la population. Car si le communisme c'est, selon la formule, « à chacun selon ses besoins », il ne faut pas oublier que dans cette optique, le premier besoin c'est le travail !

● *La prégnance du contrôle social*

La société socialiste ne cherche donc pas à être une société d'opulence. Ce qu'elle propose à la population, c'est un certain nombre de garanties, assorties de fortes contraintes. L'emploi, par exemple, est assuré, mais parallèlement il est obligatoire. Celui qui ne travaille pas ou refuse le poste qu'on lui propose sera accusé de parasitisme. Les millions de déportés des camps de travail n'étaient pas pour la plupart des opposants politiques mais des « délinquants économiques ». Il était assez facile de tomber dans cette catégorie à l'époque stalinienne car la pression sur la population était forte, comme en témoigne la mise en place du « livret ouvrier », lequel, comme au XIXᵉ siècle en France, permettait un contrôle étroit de la main d'œuvre. Le fonctionnement d'une économie socialiste est assimilable à celui d'une économie en guerre perpétuelle : mobilisation, rationnement et contrainte sont le lot quotidien de la population. Ainsi, durant le troisième plan, pour gagner un an dans sa réalisation, il a été instauré des « samedis socialistes », c'est-à-dire des journées de travail non payées car offertes à la collectivité. Dans le même temps, une forme d'épargne forcée était mise en place. Au moment où l'ouvrier recevait son salaire, en liquide, il était « invité » à en verser d'emblée une partie pour contribuer à l'édification du socialisme.

Au total, les succès industriels du modèle stalinien ne se sont pas accompagnés dans le même temps d'une hausse des salaires réels. Et si la population a pu progressivement bénéficier d'un certain nombre de consommations collectives gratuites (santé, éducation) ou à prix réduits (transports, logement), le caractère obligatoirement collectif de ce type de consommation est représentatif de la contrainte sociale propre aux pays socialistes.

– 8 –

Croissance économique
et rapports de forces

Dans le premier chapitre de cet ouvrage, lorsqu'il s'est agi d'analyser les mécanismes de la croissance économique, nous avons eu recours au modèle présenté par W. Rostow. Puis, incidemment, nous avons aussi cité les travaux de K. Marx. Si ce livre avait été écrit une quinzaine d'années plus tôt, le second aurait peut-être occupé une plus grande place que le premier. Aujourd'hui, l'implosion des économies socialistes pourrait conduire à ignorer l'auteur de la fameuse formule qui ouvrait le *Manifeste du parti communiste* de 1848 : « Prolétaires de tous les pays, unissez-vous ! » Il nous a pourtant semblé que cet oubli serait dommageable, pour deux raisons majeures :

— La première est *historique*. On ne peut passer sous silence l'importance du courant de pensée socialiste dans le déroulement des événements qui ont accompagné la diffusion à l'échelle du monde de la croissance économique.

— La seconde est *analytique*. Le sous-titre de l'ouvrage de Rostow sur les étapes de la croissance économique était : « Manifeste non communiste ». Les travaux de l'économiste américain s'inscrivaient donc dans un débat qu'il est essentiel de resituer. La croissance économique est-elle un processus accessible à tous les pays du monde, fût-ce avec un décalage dans le temps ? Ou doit-on au contraire tenir compte des contingences historiques, et notamment des rapports de forces économiques, mais aussi politiques, sociaux et militaires ?

C'est cette dernière approche que nous allons développer dans ce dernier chapitre. Fidèles à notre méthode, nous allons mettre en perspective quelques faits significatifs pour donner du sens aux événements. Le caractère cursif du texte ne doit pas masquer notre ambition : inviter le lecteur à la réflexion sur les mouvements longs de l'histoire économique. En bénéficiant du recul que permet le temps, nous allons d'abord nous pencher sur les mouvements sociaux et sur les évolutions sociales des pays capitalistes après un siècle et plus d'industrialisation. Nous verrons ensuite que les questions posées sur les relations entre les groupe sociaux conduisent à d'autres interrogations concernant les pays colonisés. Enfin, nous reviendrons sur la Seconde Guerre mondiale, exemple type de substitution d'une logique de rapports de forces à une logique d'échanges.

I - POLARISATION OU COMPLEXIFICATION SOCIALE ?

Dans sa présentation des conditions préalables au décollage économique, Rostow a souligné le rôle d'une classe sociale particulière, capable à la fois d'épargner et d'entreprendre. Ainsi que l'ont fait d'autres auteurs avant lui, comme Max Weber ou... Karl Marx, il mettait le doigt sur le rôle de la diversification sociale dans le processus de mobilisation des facteurs de la croissance économique. Le problème qui se pose alors est de savoir si cette différenciation conduit principalement à une polarisation, ou plutôt à une complexification sociale. La première branche de cette alternative s'inscrit dans la logique marxiste, dont on peut dire qu'elle était pour le moins une vision trop simplificatrice des sociétés capitalistes.

A/ Un jeu social à somme nulle ?

Chez Marx, la structure sociale d'ensemble a tendance à se polariser autour de deux classes ennemies : la bourgeoisie et le prolétariat. La dynamique sociale résulte d'une surdétermination économique : ce qui rassemble les bourgeois d'une part et les prolétaires de l'autre, ce sont des intérêts communs.

◆ Du conflit d'intérêt à la révolution

La ligne de fracture entre les deux groupes se matérialise par la propriété des moyens de production qui caractérise là classe dominante. Par le mécanisme de la plus-value, elle est aussi la classe exploiteuse contre laquelle les travailleurs doivent se liguer. La fédération des intérêts se présente comme un résultat logique de ce qui peut s'assimiler à un jeu à somme nulle. S'il veut survivre, le capitaliste est acculé à l'exploitation comme le prolétaire sera poussé à la révolution par les crises récurrentes du capitalisme. De la même façon, chaque classe va s'efforcer de se perpétuer notamment en développant une certaine conscience d'appartenance. La notion marxiste de classe se résume donc à quelques caractéristiques majeures : intérêts communs, conscience de classe, reproduction sociale et conflit de classes. Parmi ces quatre composantes, la dernière est décisive : c'est elle qui révèle aux acteurs leur situation, c'est dans la lutte que le travailleur prend conscience de son exploitation et de l'incapacité où il se trouve de s'en sortir seul. La logique marxiste n'invite donc pas à attendre que la révolution lève naturellement : le travail militant pour approfondir la conscience de classe est fondamental ; il revient aux organisations politiques et syndicales.

◆ La révolution comme hypothèse extrême

Le problème de l'approche marxiste est qu'elle a tendance à trop insister sur la surdétermination économique des comportements. Or, dans les sociétés, le clivage entre patronat et salariat n'est pas le seul, et les intérêts ne sont pas qu'économiques. A l'opposition capital/travail ne pourrait-on pas avantageusement substituer la relation État/société civile ? Les relations de pouvoir prendraient alors le pas sur les conflits d'intérêts au sens strict. Pour Marx, les superstructures étatiques résultent en dernière instance de l'infrastructure économique. Mais on peut aussi renverser la perspective en considérant qu'une étude des groupes sociaux doit se centrer sur les conflits de pouvoir. Ralph Dahrendorf, sociologue contemporain, a inscrit le paradigme marxiste de la lutte des classes dans une explication plus large renvoyant aux relations sociales de domination et de sujétion.

Une étude des relations entre classes sociales doit ainsi privilégier les phénomènes d'autorité, et sa distribution différentielle à l'intérieur du corps social. Or la propriété des moyens de production n'est pas la seule source d'autorité : les croyances religieuses, les clivages régionaux, la diversité culturelle et les comportements politiques doivent être pris en compte. Dans cette perspective, l'analyse marxiste constitue un cas limite où les conflits d'autorité se superposent car le même groupe – la bourgeoisie – s'imposerait partout. Même à supposer que cette situation corresponde à la réalité du XIXe ou du début du XXe siècle, Dahrendorf avance deux remarques qui éclairent singulièrement l'évolution non conforme aux prédictions de Marx :

— Tout d'abord, il faut distinguer *intérêts manifestes* et *intérêts latents*. Si les classes se cristallisent par l'expression d'une volonté, encore faut-il que cette dernière apparaisse. Or, il n'est pas évident que la fédération des intérêts convergents se concrétise systématiquement. On ne parlera donc de classes et de conflit de classes que lorsqu'un minimum d'organisation voit le jour. Au passage, on découvre une lecture particulière de Marx où le rôle du parti est moteur dans la manifestation des intérêts et de la conscience de classe. A la limite, la classe ne se structure que grâce au parti et, comme nous l'avons vu avec le modèle stalinien, la révolution consiste à placer l'autorité en d'autres mains. Le discours révolutionnaire peut n'être qu'une ruse, un levier qui permet à un groupe restreint de se saisir des rênes du pouvoir. On ne s'étonnera pas alors de la dérive totalitaire consécutive aux révolutions.

— Mais l'exacerbation des conflits et son issue – la dictature du prolétariat – ne sont pas certaines, car les groupes formés pour défendre des intérêts manifestes ne cherchent que rarement à changer la nature du régime. Au contraire, en institutionnalisant les conflits, les organisations vont engendrer un ordre social stable. La discussion qui s'élabore entre représentants des groupes rivaux réduit les risques de violence. On retrouve la possibilité d'un jeu social à somme positive où les groupes sociaux ne sont pas forcément antagonistes, où les antagonismes ne sont pas forcément violents et où la violence elle-même n'est pas forcément révolutionnaire. Le « Grand Soir » demeure ainsi une référence qui ne se manifestera que rarement, et il n'est pas surprenant que les régimes marxistes se soient pour la plupart imposés à la faveur d'une guerre.

B/ Conflits sociaux et pérennité des économies capitalistes

Si le passage au socialisme ne s'est réalisé qu'à la suite de guerres, c'est peut-être parce que ces dernières sont seules capables de transformer en bipolarisation concrète la grande diversité des conflits sociaux. Et contrairement à une idée répandue, en période de paix, ceux-ci constituent plus une consolidation qu'une destruction sociale. Cela vient du fait que les organisations politiques et syndicales, en relayant les revendications, contribuent plus qu'elles ne le croient à consolider les économies capitalistes.

◆ Classes moyennes et diffusion des modes de vie

Si la bipolarisation sociale annoncée par Marx ne s'est pas produite, c'est parce que la hausse tendancielle de la productivité et de la production a autorisé, notamment à partir de 1850, un accroissement des revenus. Ce dernier a transité vers les catégories populaires *via* les classes moyennes, qui ont eu un rôle économique et social fondamental. Loin de constituer, comme le pensait Marx, une catégorie déclinante, elles ont représenté une médiation entre le haut et le bas de la hiérarchie sociale. A une époque où la consommation devient, pour une proportion croissante de la population, une forme d'ostentation, les classes moyennes aident à la diffusion dans le corps social des premiers éléments du confort ménager. Le développement de l'industrie textile devra également beaucoup aux « toilettes » qui occupent au XIXᵉ siècle une armée de lavandières, blanchisseuses, couturières... dont le premier réflexe est d'imiter la tenue des « dames ». Pour d'autres temps, Fernand Braudel a montré comment le luxe jouait un rôle décisif dans l'évolution des modes de vie. Ainsi, en termes de revenus comme en matière de consommation, les classes moyennes, nouvelles et anciennes, ont joué dans les villes et les campagnes une fonction de médiation décisive pour l'équilibre du corps social.

◆ L'institutionnalisation du mouvement syndical

● *Du luddisme au travaillisme*

Comment interpréter alors les accès de fièvre révolutionnaire dans les grands centres urbains ? Très tôt, on a rencontré quelques manifestations de *luddisme,* une forme spontanée de révolte dirigée contre les machines qui suppriment directement des postes de travail (du nom d'un ouvrier anglais, John Ludd, qui anima une révolte de ce type au XVIIIᵉ siècle). Mais très vite, l'organisation des masses s'est orientée vers la revendication politique et non pas seulement économique. Le *chartisme* en constitue un bon exemple. Né en Grande-Bretagne dans les années 1830-1840, ce vaste mouvement se polarise en effet sur l'adoption du suffrage universel et l'éligibilité de chacun (Charte du peuple). Dans le même ordre d'idées, on soulignera que les protestations contre la dureté des conditions de travail sont venues le plus souvent d'une élite éclairée comme Robert Owen (1771-1858), chef d'entreprise réformateur dont la pensée se prolongera en Grande-Bretagne avec la Société fabienne. Fondée en 1883 et principalement animée par des intellectuels soucieux de justice sociale, cette dernière aidera à la création du parti travailliste en 1906. Citons également le docteur Villermé (1772-1863), dont les recherches sur l'état de santé des ouvriers conduisit en France en 1841 à la première loi sociale, celle qui interdit le travail des enfants.

• *Du paternalisme au syndicalisme*

A la fin du XIXᵉ siècle, on vit se multiplier les syndicats de métiers *(craft-unions)*, regroupant surtout les ouvriers qualifiés, et les sociétés de secours mutuel. Le fait que les ouvriers qualifiés aient constitué la frange la plus active du monde du travail n'est pas étrangère à cette évolution. Ne sont-ils pas plus que d'autres portés à une protestation qui reste dans les limites de la loyauté nécessaire au fonctionnement du système ? Le paternalisme relativement répandu dans les entreprises explique aussi une faible mobilisation ouvrière sur l'ensemble du XIXᵉ siècle. Il est vrai que la fin du siècle va connaître de nouveaux conflits liés à l'extension des grands centres industriels, et le relais politique sera pris par les grands partis ouvriers en Allemagne ou en Grande-Bretagne par exemple. Mais il est significatif que cette montée du mouvement ouvrier s'inscrive déjà dans le cadre d'une institutionnalisation des conflits que nous avons vu se concrétiser avec le rôle officiel reconnu aux syndicats (en Grande-Bretagne pendant la Première Guerre mondiale ; aux États-Unis pendant le New Deal ; en France lors des Accords Matignon, en 1936).

II - PERSISTANCE ET FRAGILISATION DU FAIT COLONIAL

A première vue, la question coloniale relève du même traitement que la question sociale. De même que le jeu social entre les différentes classes serait plus à somme positive que nulle, de même les colonies auraient plus à gagner qu'à perdre dans leur situation de sujétion. En fait, la situation n'est pas vraiment analogue, comme le montrera plus tard le mouvement de décolonisation.

A/ La fausse solution du repli sur les Empires

Face à la crise économique des années 30, la Grande-Bretagne et la France se sont repliées sur leurs empires coloniaux, comme si cela pouvait être une solution alternative à l'intégration croissante des économies développées. En fait, cela n'a pas conduit à des résultats aussi bénéfiques que certains pouvaient le penser.

◆ Les premiers pas de la zone sterling et de la zone franc

● *Une manifestation du déclin britannique ?*

La zone sterling est née dans l'entre-deux-guerres, après l'abandon de la convertibilité en or de la livre en 1931 et la forte dévaluation qui s'ensuivit. Les pays du Commonwealth lièrent le sort de leur monnaie à celui de la livre et, **avec** les accords d'Ottawa de 1932, créèrent avec la Grande-Bretagne une zone de libre circulation des produits. La parité de leur monnaie demeurait donc fixe à l'égard de la livre, monnaie internationale de paiement et de réserve à l'intérieur du système, ce qui signifie que les pays du Commonwealth détenaient leurs réserves en livre. Placées à Londres, elles constituaient une part importante des balances sterling. Les liens entre les pays membres du bloc sterling se resserrèrent en 1939, lorsque le Royaume-Uni mit en place le contrôle des changes qui limitait les échanges avec les monnaies tierces, mais pas avec les pays de la zone. Cependant, la zone sterling ne connut pas de concrétisation institutionnelle et lorsque, après la Seconde Guerre mondiale, la puissance financière britannique déclina, de nombreux pays du Commonwealth attachèrent leur monnaie au dollar américain, nouvelle monnaie mondiale. Cela provient du fait qu'économiquement, les échanges extérieurs de ces pays avec les États-Unis devenaient au moins aussi importants que ceux qu'ils entretenaient avec Londres.

● *La fausse solution coloniale*

Née *de facto* en 1936 lors de l'abandon de la convertibilité du franc en or, la zone franc, comme la zone sterling, avait pour but de maintenir des parités fixes entre le franc et les monnaies coloniales. L'émission de celles-ci était couverte par des francs, et les liens commerciaux et financiers entre l'ancien Empire français et la métropole étaient sauvegardés. Ils subsistent aujourd'hui, mais dans une configuration telle que cela révèle les asymétries de ce type de relation. Si en effet la France reste le principal partenaire commercial et financier, notamment des pays de l'Afrique de l'Ouest, ceux-ci ne constituent pour notre pays qu'une part infime, et peu solvable, de la demande internationale adressée aux firmes françaises. Or, ce qui est évident aujourd'hui était déjà vrai dans les années 30. Le type de développement industriel d'un pays comme la France ne peut espérer s'appuyer principalement sur des échanges avec des pays de faible niveau industriel. La dynamique du commerce mondial se situe principalement dans les échanges entre égaux, et non dans les relations entre fournisseurs de produits de base et exportateurs de produits industriels.

B/ L'inévitable décolonisation

Sans même recourir à une analyse politique, nous venons de découvrir que du seul point de vue économique, la décolonisation s'imposait. Ce qu'avait demandé le président américain W. Wilson à la fin de la Première Guerre mondiale devait se réaliser pour une raison simple : le statut colonial maintenait les économies dans une situation de dépendance néfaste pour la croissance économique.

◆ La nécessaire diversification

Les analyses de Rostow ont été très critiquées dans les années 60 et 70 pour la vision implicite de l'histoire qu'elles contenaient. Comme le disait explicitement le sous-titre de l'ouvrage, la question du développement économique pouvait selon cet auteur être résolue sans passer par le socialisme. Les colonies ou anciennes colonies se trouvaient devant un modèle, au sens courant du terme, qu'il suffisait de suivre. Les étapes de la croissance économique balisaient le chemin que devait suivre chaque nation. Une telle approche n'a été que partiellement confirmée par les événements (cf. volume 2) du fait de la position particulière des anciens pays colonisés.

— En première analyse, les variables repérées par Rostow demeurent incontournables dans la mesure où elles soulignent que la croissance économique revêt dans tous les pays et à toutes les époques les mêmes contraintes : développement de l'investissement et de l'industrie, diversification de la production et formation d'un véritable tissu productif. Cela peut se faire de façon libérale, c'est-à-dire sous l'égide d'une bourgeoisie, ou de façon administrée, sous la tutelle, voire sous le joug d'un État fort. Mais dans tous les cas, un processus d'accumulation de capacités techniques de production est nécessaire.

— Dans les années 30, certains pays fournisseurs de matières premières, notamment en Amérique Latine, se sont efforcés de conduire ce processus.

Enrichis par la Première Guerre mondiale, ils avaient connu des difficultés dès les années 20, et la crise des années 30 allait provoquer la ruine de nombreuses exploitations travaillant majoritairement pour l'exportation. C'est alors que les gouvernements ont essayé de développer une industrie nationale principalement destinée à satisfaire les besoins intérieurs.

◆ La persistance d'une hiérarchie économique internationale

Avec la Seconde Guerre mondiale, ces stratégies de développement industriel national allaient connaître un succès certain. En effet, comme en 1914-1918, les cours des produits de base progressèrent dans les années 40, et les recettes tirées des exportations permirent de développer les investissements industriels nationaux.

Un pays comme l'Uruguay avait à la fin des années 1940 le même niveau de vie que l'Autriche. On l'appelait d'ailleurs la « Suisse » de l'Amérique Latine. Mais cette situation ne dura pas au-delà des années 50, et le décollage industriel de pays comme le Brésil, l'Argentine ou le Mexique ne se transforma pas en processus vertueux de croissance économique durable. Cela tient à deux facteurs essentiels :

— Le fait que les pays qui se sont lancés dans la croissance économique au début du XXᵉ siècle ne se trouvent pas dans la même configuration historique que les pays anciennement industrialisés. Cela pour la simple raison qu'ils sont forcément des pays suiveurs, qui appliquent des procédés techniques éprouvés ailleurs, sans être vraiment maîtres du processus. C'est ce qui rend fragile cette industrialisation où le dynamisme vient des produits et techniques importés.

— Cette situation de dépendance technique et technologique se prolonge en matière commerciale ou monétaire. Comme le montre l'exemple des relations entre la Grande-Bretagne et l'Inde, ou entre la France et ses colonies africaines, l'économie coloniale est organisée en fonction des besoins de la métropole. Cela signifie une position stratégique où les réactions aux chocs venus du centre sont limitées. Ainsi, après la Première Guerre mondiale, l'Inde comme le Japon (pays périphérique à l'époque, même s'il n'était pas colonisé) connurent une profonde crise économique. Paradoxalement, c'est à l'occasion de la Seconde Guerre mondiale que les colonies allaient réunir certaines conditions nécessaires à la diversification de leurs économies : la marche vers l'indépendance politique.

III - LA SECONDE GUERRE MONDIALE ET LE RENOUVEAU DE LA CROISSANCE

Du point de vue économique, la Seconde Guerre mondiale ressemble à la Première. Dans les deux cas, face à une guerre totale, les économies nationales ont été entièrement soumises aux objectifs militaires. Cela fut vrai des pays fondés sur des régimes totalitaires ou à tout le moins autoritaires (Allemagne, URSS, Japon). Mais ce fut aussi le cas aux États-Unis et en Grande-Bretagne. Comme l'effort de guerre fut, pour ces deux derniers pays, encore plus important, l'interventionnisme atteignit des sommets. L'intervention économique de l'État fut ainsi confirmée même si, au sortir de la guerre, les pays capitalistes s'efforcèrent de revenir à une régulation libérale.

A/ La fin de la crise

On aurait voulu résoudre la crise économique des années 30 grâce à la guerre que l'on ne s'y serait pas pris autrement ! Ce constat tragique vaut d'être médité car il révèle un aspect majeur de la crise des années 30, déjà souligné à l'époque par J. M. Keynes.

◆ Un véritable « boom » aux États-Unis

Il est des cas dans une économie libérale où les acteurs sont tellement pessimistes que même une politique de relance, fondée par exemple sur un déficit budgétaire important, ne réussit pas changer le climat économique. Les limites du New Deal ont montré que les États-Unis vécurent une telle situation pendant les années 30. Mais face à un tel contexte, que survienne un élément propre à ouvrir de nouvelles perspectives économiques, et immédiatement les affaires reprennent. Cela ne signifie pas bien sûr que la guerre est souhaitable ou acceptable. N'oublions pas que les morts se sont comptés par dizaines de millions et que les bombardements, tortures et autres massacres ont conduit les horreurs de la guerre à un niveau d'extrême barbarie. Mais cela souligne simplement qu'une reprise de l'activité économique peut aussi être obtenue par des moyens extérieurs au champ économique.

De 1940 à 1944, la production va augmenter aux États-Unis de plus de 12 % par an (de près de 4 % en Grande-Bretagne). Les pénuries connues par l'Allemagne, l'URSS ou le Japon ont fait de l'économie de guerre une économie de rationnement. En revanche, aux États-Unis, si quelques restrictions ont été apportées à la consommation de certains produits, la guerre a débouché sur une croissance de l'ensemble des branches d'activité. L'industrie fut bien sûr le secteur en pointe dans ce mouvement d'ensemble puisque, en quelques années, la production tripla, voire décupla dans certaines activités directement liées aux commandes militaires. Pour faire face à cette vigoureuse progression, il fallut à la fois recruter de la main d'œuvre supplémentaire, notamment féminine, et accroître la durée du travail de près de 5 heures par semaine. Il fallait en effet remplacer les 12 millions d'hommes et de femmes utilisés par l'armée. Est-il dans ce cadre utile de préciser que le taux de chômage tomba à un niveau très faible pendant cette période ?

◆ Interventionnisme et endettement

Pour réussir la mobilisation économique, le gouvernement américain n'hésita pas à développer de façon systématique l'intervention de l'État. Cela se traduisit par une gestion administrée de l'économie et par un développement inhabituel de l'endettement public.

— Après l'attaque contre Pearl Harbor en décembre 1941, le Congrès donna un pouvoir important au Bureau de contrôle des prix. Celui-ci taxa la plupart des prix, mais il intervint aussi pour contrôler l'évolution des salaires. Il est en effet évident que les dépenses publiques devaient évincer des dépenses privées, même si c'est dans une proportion moindre qu'en Allemagne ou en URSS. Pour éviter que la demande des ménages provoque des tensions inflationnistes, on utilise deux méthodes : contrôler le niveau des prix et des salaires d'une part, rationner certaines consommation d'autre part. Il est également évident qu'en période de guerre, on se garde des comportements de consommation ostentatoire. A partir de là, une épargne importante se forme, qui sera mobilisée par la puissance publique.

— Bien que la fiscalité se soit alourdie (le taux marginal d'imposition sur les revenus monta jusqu'à 90 %), la guerre fut financée par le recours au crédit. A la fin de la guerre, le taux d'endettement public, c'est-à-dire le ratio de la dette publique totale sur le PIB, atteignait 112 %. Ce chiffre est plus de deux fois supérieur au niveau observé au début des années 90. Mais à l'époque, la domination de l'économie américaine était telle que personne ne s'inquiétait de cette situation.

B/ Une nouvelle donne internationale

La Seconde Guerre mondiale a conduit à un New Deal à l'échelle mondiale.

◆ La guerre comme accélérateur de l'Histoire

Par le gigantesque effort de guerre entrepris au début des années 40, les États-Unis sont devenus sans conteste la première puissance économique du monde. En 1950, ils réaliseront à eux seuls 60 % du PIB de l'ensemble des pays capitalistes industrialisés. Par leurs victoires militaires sur le front européen et dans le Pacifique, ils vont imposer leur leadership politique, culturel, économique et militaire. A ce titre, la guerre constitue bien un formidable accélérateur de l'histoire. Les positions des nations dans la hiérarchie économique mondiale connaissent en période de paix une lente modification. Pendant les guerres, les cartes sont brutalement redistribuées. Tout le problème est alors de savoir si cette redistribution ne fait qu'accélérer des mouvements déjà amorcés ou si elle infléchit profondément la donne initiale. A la fin de la Seconde Guerre mondiale, la défaite du Japon et de l'Allemagne semblait militer pour la seconde option. Le Plan Morgenthau, du nom d'un conseiller de Franklin Roosevelt, ne prévoyait-il pas une désindustrialisation forcée de l'Allemagne ?

Nous savons maintenant que c'est en fait plutôt la première option que nous devons retenir. La guerre n'a pas plus empêché la montée en puissance des économies allemande et japonaise qu'elle n'a évité le déclin continu de l'économie britannique. Seul le véritable miracle que connaîtra après 1950 l'économie française peut faire penser que le choc de la guerre a modifié, à la suite de mécanismes complexes, la tendance à long terme de la croissance économique.

◆ La guerre continuée par d'autres moyens ?

Finalement, c'est dans le rapport de forces entre socialisme et capitalisme que la guerre aura été le plus nettement un accélérateur et un révélateur de l'Histoire. Si l'année 1945 marque en effet la défaite du fascisme, du nazisme et de l'expansionnisme nippon, elle correspond aussi à l'ouverture d'une période faste pour le communisme. De nombreux pays d'Europe puis d'anciennes colonies vont se trouver aspirés dans l'orbite soviétique, à tel point que l'URSS va être propulsée au rang de seconde puissance économique et militaire. Dans ces deux domaines, elle va s'efforcer de rivaliser avec les États-Unis, mais l'arme atomique empêchera que le conflit prenne des formes militaires autres que celles qui se sont manifestées dans certains points sensibles (Corée, Indochine...).

Le conflit entre les deux systèmes économiques prendra donc la forme d'une guerre froide, puis d'une coexistence pacifique, c'est-à-dire d'une compétition économique. A ce jeu, la logique des blocs va déboucher sur un ralentissement de l'Histoire. Les positions vont se figer pour près d'un demi-siècle. Ce n'est que très progressivement que l'affrontement entre les systèmes va déboucher sur une issue inattendue, que présente le second volume, *L'économie mondiale de 1945 à nos jours*.

Conseils bibliographiques

J.-M. ALBERTINI, *Capitalisme et socialisme ; le combat du siècle*, Éditions ouvrières, 1990.

Ph. ARIÈS, *Histoire des populations françaises*, Points Seuil.

J.-Ch. ASSELAIN, *Histoire économique : de la révolution industrielle à la Première Guerre mondiale*, FNSP-Dalloz, 1985.

J. BAECHLER, *Les origines du capitalisme*, Idées-Gallimard.

P. BAIROCH, *Le tiers monde dans l'impasse*, Idées-Gallimard.

E. BARBIER-JEANNENEY et J.-M. JEANNENEY, *Les économies occidentales du XIXᵉ à nos jours*, Presses de la FNSP.

F. BRAUDEL et E. LABROUSSE, *Histoire économique et sociale de la France*, volumes 3 et 4, PUF, 1976.

F. BRAUDEL, *Civilisation matérielle et capitalisme*, Armand Colin.

R. CAMERON, *La France et le développement économique de l'Europe*, Le Seuil, 1971.

F. CARON, *Histoire économique de la France XIXᵉ-XXᵉ*, Armand Colin.

P. DELFAUD, C. GÉRARD, P. GUILLAUME, J.-A. LESOURD, *Nouvelle histoire économique* – Tome 1, *Le XIXᵉ siècle* ; Tome 2, *Le XXe siècle*, Armand Colin, coll. U.

M. DOBB, *Studies in the Development of Capitalism*, New York, International Pub., 1947.

J. K. GALBRAITH, *La crise de 1929*, Petite Bibliothèque Payot.

E. J. HOBSBAWN, *Histoire économique et sociale en Grande-Bretagne*, 2 tomes, Le Seuil, 1977.

S. KUZNETS, *Croissance et structure économique*, Calmann-Lévy, 1972.

P. LÉON, *Histoire économique et sociale du monde*, tomes 4 et 5, Armand Colin.

F. MAURO, *Histoire de l'économie mondiale 1790-1970*, Sirey, 1971.

J. NÉRÉ, *La crise de 1929*, Armand Colin.

M. NIVEAU, *Histoire des faits économiques contemporains*, PUF, coll. Thémis, 1976.

W. ROSTOW, *Les étapes de la croissance économique*, Points Seuil.

A. SAUVY, *Histoire économique de la France entre les deux guerres*, Fayard.

Index

Imprimé en France par I.M.E. - 25110 Baume-les-Dames
Dépôt légal n° 5163-08/1993 - Collection n° 75 - Edition n° 01
14/4662/4